崇文館
家庭典藏

崇文国学经典
普及文库

日知录

郑若萍◎注译

长江出版传媒
崇文书局

日知录

图书在版编目（CIP）数据

日知录 / 郑若萍注译.
—武汉 ：崇文书局，2017.1
（崇文国学经典普及文库）
ISBN 978-7-5403-4222-7
Ⅰ. ①日…
Ⅱ. ①郑…
Ⅲ. ①文史哲－中国－清代②《日知录》－注释③《日知录》－译文
Ⅳ. ① B249.12
中国版本图书馆 CIP 数据核字（2016）第 261871 号

出 品 人　潘启胜

统　　筹　陈中琼
责任编辑　刘水清

出版发行　长江出版传媒 | 崇文书局
地　　址　武汉市雄楚大街 268 号 C 座 11 层
电　　话　(027)87293001　邮政编码　430070

印　　刷　湖北恒泰印务有限公司
开　　本　889×1194　1/32
印　　张　7
字　　数　128 千字
版　　次　2017 年 1 月第 1 版
印　　次　2017 年 1 月第 1 次印刷
定　　价　25.80 元
（如发现印装质量问题，影响阅读，请与承印厂调换）

总序

现代意义的“国学”概念，是在19世纪西学东渐的背景下，为了保存和弘扬中国优秀传统文化而提出来的。1935年，王缁尘在世界书局出版了《国学讲话》一书，第3页有这样一段说明：“庚子义和团一役以后，西洋势力益膨胀于中国，士人之研究西学者日益众，翻译西书者亦日益多，而哲学、伦理、政治诸说，皆异于旧有之学术。于是概称此种书籍曰‘新学’，而称固有之学术曰‘旧学’矣。另一方面，不屑以旧学之名称我固有之学术，于是有发行杂志，名之曰《国粹学报》，以与西来之学术相抗。‘国粹’之名随之而起。继则有识之士，以为中国固有之学术，未必尽为精粹也，于是将‘保存国粹’之称，改为‘整理国故’，研究此项学术者称为‘国故学’……”从“旧学”到“国故学”，再到“国学”，名称的改变意味着褒贬的不同，反映出身处内忧外患之中的近代诸多有识之士对中国优秀传统文化失落的忧思和希望民族振兴的宏大志愿。

从学术的角度看，国学的文献载体是经、史、子、集。崇文书局的这一套国学经典普及文库，就是从传统的经、史、子、集中精选出来的。属于经部的，如《诗经》《论语》《孟子》《周易》《大学》《中庸》《左传》；属于史部的，如《战国策》《史记》《三国志》《贞观政要》《资治通鉴》；属于子部的，如《道德经》《庄子》《孙子兵法》《鬼谷子》《世说新语》《颜氏家训》《容斋随笔》《本草纲目》《阅微草堂笔记》；属于集部的，如《楚辞》《唐诗三百首》《豪放词》《婉约词》《宋词三百首》《千家诗》《元曲三百首》《随园诗话》。这套书内容丰富，而分量适中。一个希望对中国优秀传统文化有所了解的人，读了这些书，一般说来，犯常识性错误的可能性就很小了。

崇文书局之所以出版这套国学经典普及文库，不只是为了普及国学常识，更重要的目的是，希望有助于国民素质的提高。在国学教育中，有一种倾向需要警惕，即把中国优秀的传统文化“博物馆化”。“博物馆化”是20世纪中叶美国学者列文森在《儒教中国及其现代命运》中提出的一个术语。列文森认为，中国传统文化在很多方面已经被博物馆化了。虽然中国传统的经典依然有人阅读，但这已不属于他们了。“不属于他们”的意思是说，这些东西没有生命力，在社会上没有起到提升我们生活品格的作用。很多人阅读古代经典，就像参观埃及文物一样。考古发掘出来的珍贵文物，和我们的生命没有多大的关系，和我们的生活没有多大关系，这就叫作博物馆化。“博物馆化”的国学经典是没有现实生命力的。要让国学经典恢复生命力，有效的方法是使之成为生活的一部分。崇文书局之所以强调普及，深意在此，期待读者在阅读这些经典时，努力用经典来指导自己的内外生活，努力做一个有高尚的人格境界的人。

国学经典的普及，既是当下国民教育的需要，也是中华民族健康发展的需要。章太炎曾指出，了解本民族文化的过程就是一个接受爱国主义教育的过程："仆以为民族主义如稼穑然，要以史籍所载人物制度、地理风俗之类为之灌溉，则蔚然以兴矣。不然，徒知主义之可贵，而不知民族之可爱，吾恐其渐就萎黄也。"(《答铁铮》)优秀的传统文化中，那些与维护民族的生存、发展和社会进步密切相关的思想、感情，构成了一个民族的核心价值观。我们经常表彰"中国的脊梁"，一个毋庸置疑的事实是，近代以前，"中国的脊梁"都是在传统的国学经典的熏陶下成长起来的。所以，读崇文书局的这一套国学经典普及读本，虽然不必正襟危坐，也不必总是花大块的时间，更不必像备考那样一字一句锱铢必较，但保持一种敬重的心态是完全必要的。

期待读者诸君喜欢这套书，期待读者诸君与这套书成为形影相随的朋友。

陈文新

（教育部长江学者特聘教授，武汉大学杰出教授）

前言

顾炎武，明万历四十一年(1613)生于江苏昆山，初名绛，字忠清。明朝灭亡后，改名炎武，改字宁人，是明末清初的史学家、思想家，与黄宗羲、王夫之齐名"明末清初三大思想家"，学者尊其为亭林先生。

顾炎武一出生，便被过继给叔祖父顾绍芾。嗣父早卒无子嗣，嗣母自愿到顾家为其守贞。这位嗣母有着良好的文化教养，喜读《史记》《资治通鉴》。因此，顾炎武从小便受到良好的教育。然而，顾炎武在科考路上并不如意，二十七岁时，他第二次落榜。当时国事艰危，"沧海横流，风雨如晦"，他猛然醒悟，"耻经生之寡术"，开始从事经世致用的研究，从史书、方志、名公文集中辑录有关农田、水利、交通等材料，试图找出国贫民弱的的根源，于是就有了三大奇书中的《天下郡国利病书》与《肇域志》。

崇祯十七年(1644)，明思宗朱由检自缢于煤山(景山)。次年，清军攻陷南京，顾炎武愤然投笔从戎，自此投入抗清斗争之中。失败后，顾炎武以南京为中心，辗转太湖沿岸，潜踪息影，与各地抗清人士一起秘密反清。顺治十四年(1657)，由于恶奴豪绅陷害，顾炎武被迫离乡北上，开始了二十多年的转徙游历生涯。其间，他往来于鲁、燕、晋、陕、豫等省，遍历关塞，实地考察，搜集资料，著书立说，坚定地思考着民族复兴之路。《日知录》便是他这一时期撰写的最重要的代表作。

《日知录》内容宏富，包括经义、政事、礼制、科举、地理、艺文、天象、术数等，分三十二卷，其中"上篇经术，中篇治道，下篇博闻"。在这本书中，面对王朝倾覆，他振臂高呼，提出"天下兴亡，匹夫有责"的爱国口号；面对风俗败坏，他树立了"行己有耻"的道德底线……《日知录》是一本倾注了顾氏一生心血的书，也是最能体现他思想的书，更是他平生最为得意的书。他曾说："平生之志与业，皆在其中。"而撰写该书的目的，他在《与杨学臣书》中说是"拨乱涤污"，"启多闻于来学，待一治于后王"。

顾炎武生前，《日知录》已经以八卷行世，后又予以增补修改。他去世后，弟子潘耒从其家中取出书稿，加以整理，于康熙三十四年(1695)刊刻，共三十二卷。道光年间黄汝成的《日知录集释》是研究《日知录》的一部集大成之作，也是现今通行的版本。此选译本便以黄本为底本，参采众说，同时也保留了顾炎武的原注。就内容而言，此次选译的范围几乎囊括上、中、下三篇，包括法制、风俗、政事、道德伦理、诗文创作等方面。每一篇前有题解，简述该篇的主要内容，以便读者参考理解。原文中典故颇多，有时一句一典，有些典故甚至已不为今人所熟知。凡是遇到这种情况，皆一一稽考古书，力求详细注解典故含义。译文一概采用直译，力求忠实原文。

contents

目录

【题解】

《夸毗》选自《日知录》卷三。夸毗，阿谀奉承、谄媚阿附的意思，与俗语中“软骨头”的意思接近。顾炎武认为夸毗之人会给人民带来忧患，引起上天降灾。他引用夏侯湛、白居易、罗点三人的言论来论证自己的观点。夏侯湛在《抵疑》中说，做官的人将独善其身视为娴静，将优柔寡断视为稳重，将退避不敢发表意见视为不出差错。白居易在其策论文章中论述，有人遇事保守缄默，谨小慎微，导致朝堂上没有敢于直言劝谏、担当罪责的大臣。从国到家，这种畏首畏尾、因循守旧的风俗逐渐形成，反而把正直耿介、秉公执法视作不通时务、不懂权变，官吏的考核、官员升降的制度也就因不实际而失去了意义价值。罗点也有言论涉及这种社会风气。顾炎武认为这都是夸毗造成的社会恶果：“然则丧乱之所从生，岂不阶于夸毗之辈乎?”天宝年间安史之乱，不就是人人会“圆转”导致的？顾炎武从“夸毗”一词含义入手，上升至对世俗道德和风气的批判。这是他对夸毗之人的深恶痛绝，也是他对明朝灭亡的反思。

夸　毗

【原文】

“天之方懠，无为夸毗。”[①]《释训》曰：**“夸毗，体柔也。”**[②]《后汉书·崔骃传》注：“夸毗谓佞人足恭，善为进退。”[③] **天下惟体柔之人，常足以遗民忧而召天祸**[④]**。夏侯湛**[⑤]**有云：“居位者以善身为静**[⑥]**，以寡交为慎**[⑦]**，以弱断为重**[⑧]**，以怯言为信**[⑨]**。”**《抵疑》[⑩] **白居易**[⑪]**有云：“以拱默**[⑫]**保位者**

为明智，以柔顺安身者为贤能，以直言危行[13]者为狂愚，以中立守道者为凝滞[14]。故朝寡敢言之士，庭鲜执咎之臣[15]。自国及家，浸而成俗[16]。故父训其子曰：'无介直[17]以立仇敌。'兄教其弟曰：'无方正以贾悔尤[18]。'"且"慎默[19]积于中，则职事废于外[20]。强毅果断之心屈，畏忌因循之性成，反谓率职而居正者不达于时宜[21]，当官而行法者不通于事变。是以殿最之文[22]，虽书而不实[23]；黜陟之典[24]，虽备而不行[25]。"《长庆集·策》[26]罗点[27]有云："无所可否，则曰得体[28]；与世浮沉，则曰有量[29]。众皆默，己独言，则曰沽名；众皆浊，己独清，则曰立异。"《宋史》本传。观三子之言，其于末俗之敝，可谓恳切而详尽矣。

至于佞谄日炽，刚克[30]消亡，朝多沓沓[31]之流，士保容容[32]之福。苟由其道，无变其俗，必将使一国之人，皆化为巧言令色孔壬[33]而后已。然则丧乱之所从生，岂不阶[34]于夸毗之辈乎？乐天作《胡旋女》诗曰[35]："天宝季年[36]时欲变，臣妾人人学圆转[37]。"是以屈原疾楚国之士[38]，谓之"如脂如韦"[39]，而孔子亦云"吾未见刚者"[40]。

【注释】

①"天之方懠（qí）"二句：语出《诗经·大雅·板》，意思是王正在发怒，不要卑躬屈膝、谄媚屈从。天，此处指周厉王。方，正值。懠，愤怒。夸毗（pí），躬身屈足，谄媚屈从。

②《释训》：《尔雅》第三篇。体柔：屈己卑身求得于人，意思与俗语中的"软骨头"相近。

③"《后汉书·崔骃传》注"句：本书正文小字部分皆为顾炎武原注，此

处引《后汉书》中的注释以解释“夸毗”。佞人：有口才但心术不正的人。足恭：过于谦恭。《论语》：“巧言、令色、足恭，左丘明耻之，丘亦耻之。”

④遗民忧：给人民带来忧患。召天祸：引起上天降灾。

⑤夏侯湛：生卒年不详，字孝若，幼有奇才，文章宏富，明人辑有《夏侯常侍集》。

⑥居位者：居要职的人。善身：独善其身。静：娴静、安适。

⑦寡交：少与人交往。慎：谨慎。“以寡交以为慎”是在批评当官的人不求贤。

⑧弱断：优柔寡断。重：稳重。

⑨怯言：不敢表达自己的意见。信：没有差错。

⑩《抵疑》：“居位者以善身为静”四句皆出自此文。夏侯湛拜官郎中后，长年不得调迁，心有不平，所以写《抵疑》以抒怀。

⑪白居易(772—846)：字乐天，号香山居士，唐代著名文学家，诗与元稹齐名，世称“元白”，有《白氏长庆集》。

⑫拱默：拱手而沉默无一言。保位：保全职位。

⑬危行：正行。危，端正。

⑭守道：保持正道。凝滞：拘泥，不灵活。

⑮庭鲜(xiǎn)执咎之臣：语出《诗经·小雅·小旻(mín)》：“发言盈庭，谁敢执其咎?”意思是：朝堂上到处有敢发言的人，可谁敢担当发生过失的责任呢？鲜，少。执咎，即不避嫌怨，担当发生过失的责任。咎，过失。

⑯浸(jìn)而成俗：逐渐形成了一种习俗。浸，逐渐，渐渐。

⑰介直：耿介正直。

⑱无方正以贾(gǔ)悔尤：不要因为正直无邪而招致过失悔恨。方正，

正直无邪。贾,招引,招致。悔尤,过失悔恨。

⑲慎默:谨慎沉默。

⑳职事:分内应做的事。

㉑率职而居正者:尽职尽责而处事公正的人。率,遵循。达:通达。时宜:当时的需要或潮流。

㉒殿最之文:古代考核官吏优劣的案卷。殿最,古代考核官吏的政绩、军功,优等的称最,劣等的称殿。

㉓虽书而不实:虽然成文但并不真实。

㉔黜陟(chùzhì)之典:官职升迁贬谪的典章制度。黜,罢免。陟,升迁。

㉕虽备而不行:虽然完备但不能认真施行。

㉖《长庆集·策》:顾炎武原注,此处指出所引白居易原话的出处,即《白氏长庆集》策论部分。

㉗罗点(1151—1195):字春伯,宋朝人,六岁能文,卒谥文公。

㉘无所可否:没什么赞同或反对的。可,赞同。否,否定,反对。得体:言行举止恰到好处,识大体。

㉙有量:有雅量。罗点此论出自《宋史》卷三九三《罗点传》。

㉚刚克:以刚强取胜。《尚书·洪范》:"三德,一曰正直,二曰刚克,三曰柔克。"

㉛沓(tà)沓:弛缓、懒散的样子。

㉜容容:苟且敷衍,随众附和。《后汉书》卷六一《左雄传》:"白璧不可为,容容多后福。"

㉝孔壬:亦作"孔任",大奸佞。孔,甚。壬,奸佞。

㉞阶:由来,起始。

㉟乐天:即白居易。胡旋女:跳胡旋舞的女子。胡旋舞,唐朝时由西

域康居传来的民间舞，因在跳舞时须快速不停地旋转而得名，相传安禄山善于跳胡旋舞。

㊱天宝：唐玄宗时期年号。季年：末年。

㊲臣妾：臣子与妻妾。圆转：指胡旋舞，此处暗指人人都“圆滑”。

㊳屈原（前340—前278）：名平，字原，战国时期楚国诗人、政治家。“楚辞”的创立者和代表作者，中国历史上第一位伟大的爱国诗人，中国浪漫主义文学的奠基人。疾：憎恨。楚国之士：指楚国的奸佞小人。

㊴如脂如韦：语出《楚辞·卜居》：“将突梯滑稽，如脂如韦以洁楹乎？”如脂，像油脂那样滑。如韦，像熟皮子那样柔软。韦，经去毛加工制成的柔皮。

㊵吾未见刚者：语出《论语·公冶长》，意思是我没有见过刚强的人。

【译文】

“王正在发怒，不要谄媚屈从。”《释训》言：“夸毗，屈己卑身求得于人的意思。”（《后汉书·崔骃传》注释说：“夸毗指的是奸佞的人过于谦虚，善于进退。”）天底下只有体柔的人，常常足够给人民带来忧患，引起上天降灾。夏侯湛曾说：“居要职的人以独善其身为娴静，以少与人交往、不求贤为谨慎，以优柔寡断为稳重，以不发表意见为不犯差错。”（出自《抵疑》。）白居易曾说：“有人认为遇事时拱手保持沉默是明智，认为顺从别人、明哲保身是贤能，认为坦率直言、端正行为是狂妄愚昧，认为不阿附、守持正道是冥顽不化。所以朝中很少有敢于直言劝谏的士大夫，很少有敢于担当责任的臣子。从国到家，渐渐形成风气。所以父亲教育儿子说：‘不要因为耿介正直而树立仇敌。’兄长教训弟弟说：‘不要因为正直无邪而招致过失悔恨。’”况且“谨慎沉默在心中形成，废弃分内应做的事则表现于外。坚强刚毅、果敢决断的心屈服，畏惧忌惮、因循守旧的性格就形成了。反而说尽职尽责、处事公正的人不通时务，当官执行律法的人不懂得权变。所以考核时最差最优的案卷，虽然是篇文章但不符合事实；罢免升迁的典章制度，虽然完备但不能认真施行。”（出自《长庆集·策》。）罗点曾说：“没什么赞同或反对的，就说是识大体；与世事沉浮的，就说是有雅量。众人都沉默而独有自己敢说，就说是沽名钓誉；众人皆浑浑噩噩唯独自己清醒，就说是标新立异。”（出自《宋史·罗点传》。）听这三人对于这种风俗弊病的言论，可谓恳切而详尽。

至于巧言谄媚一天天繁盛，以刚强取胜渐渐消亡，朝中多是弛缓懒散的人，士人都在保持因随俗浮沉而得的福分。假若任其发展，不改变这种风俗，一定会使国家所有的人都变成巧言令色、奸邪谄媚之徒。然而丧亡祸乱之产生，岂不是始于这些夸毗之流？（白居易作《胡旋女》诗言：“天宝晚年时事将要变化，臣子妻妾人人学圆转。”）因此，屈原痛恨楚国的那些佞谄小人，说他们“像油脂那样滑，像熟皮子那样软”，而孔子也说“我从未见过刚强的人”。

【题解】

《医师》选自《日知录》卷五。古时庸医杀人，而现今庸医不杀人，但也不医好人，让人在不死不活之间，待病日益加重最终致死。这样一来，责任最终不在医师身上，即使追究医师责任，医师反而能振振有词地反驳。世人推崇的贤医反而是那些没有杀死人的医师。顾炎武认为即使是古代上等的医师也有失误，但他们懂得抓住病理根源，勇于决断，用药专，药效快，而且古代衡量医术的标准也不是求全责备。但世人追求的是所谓贤医，这也造就了大量不求有功但求无过的庸医。不求有功但求无过的，不仅医师如此，在职为官的也大有人在。顾炎武认为，要治理好国家，绝不能用那些但以无过为贤的庸人，这是张禹亡汉、李林甫灭唐的原因所在；要医治好国家的弊病，不在于官多将多，而在于有真才实学、果敢刚毅、懂得国家弊病的“医师国手”的存在。

医　师①

【原文】

古之时庸医杀人②。今之时庸医不杀人，亦不活人，使其人在不死不活之间，其病日深，而卒至于死。夫药有君臣③，人有强弱。有君臣则用有多少，有强弱则剂有半倍。多则专，专则其效速④；倍则厚，厚则其力深。今之用药者大抵杂泛而均停⑤，既见之不明，而又治之不勇，病所以不能愈也。而世但以不杀人为贤，岂知古之上医不能无失。《周礼·医师》：“岁终，稽其医事以制其食⑥：

十全为上[7]；十失一，次之；十失二，次之；十失三，次之；十失四为下。"是十失三四，古人犹用之。而淳于意[8]之对孝文[9]，尚谓："时时失之，臣意不能全也。"[10]《易》曰："裕父之蛊，往见吝。"[11]奈何独取夫"裕蛊"者？以为其人虽死而不出于我之为。呜呼，此张禹[12]之所以亡汉，李林甫[13]之所以亡唐也！朱文公[14]《与刘子澄书》所论"四君子汤[15]"，其意亦略似此。

【注释】

①医师：古代掌管医务的官。

②庸医杀人：《旧唐书·张文仲传》载："大抵医药虽同，人性各异，庸医不达药之性使冬夏失节，因此杀人。"

③药有君臣：药有君药、臣药、佐药、使药之分，《神农》云："上药为君，主养命以应天；中药为臣，主养性以应人；下药为佐使，主治病以应地。"

④专则其效速：一作"专则效速"。

⑤杂泛：杂乱而没有针对性。均停：指平淡死板没有变化。

⑥稽其医事以制其食：考察医生的治病情况来制定他们的俸禄。稽，稽查，考察。其，代指医师。食，此处指俸禄。

⑦十全为上：病人全部治好的为上等，也即疗效达到百分之百的为上等。

⑧淳于意（约前205—前150）：复姓淳于，名意，西汉时医官。因曾任齐太仓长，故人们尊称其为"仓公"或"太仓公"。著有我国历史上第一部医案——《诊籍》。

⑨孝文：指汉孝文帝。

⑩“时时失之”二句：语出《史记·扁鹊仓公列传》。孝文帝问淳于意是否能将所有病人都治好，淳于意实事求是地回答说：“时常有治不好的病人。”

⑪“裕父之蛊”二句：是《周易·蛊卦》的爻辞。意思是纵容父辈的过错，长此以往必遭谴辱。裕，此处指纵容、宽缓。

⑫张禹(？—前5)：字子文，西汉经学家，通《论语》，成帝时为丞相，封安昌侯。成帝疑外戚王氏叛乱，张禹因自己已老而子孙孱弱，阿附王氏，不敢直言，朱云视他为佞臣。

⑬李林甫(683—753)：唐朝宗室，玄宗时代张九龄为相，在位十九年，柔佞狡黠，口蜜腹剑，专政自恣，酿成安史之乱。

⑭朱文公：即朱熹(1130—1200)，字元晦，又字仲晦，号晦庵，晚称晦翁，谥文，世称朱文公，南宋著名理学家。

⑮四君子汤：用人参、白术、茯苓、甘草四种中药做成，因而得名。

【译文】

古时候医术平庸的医师会杀人。现今，医术平庸的医生虽然不杀人，也救不活病人，而让病人处在不死不活之间，病情日益加重而终至于死亡。药有君药臣药之分，人的身体有强弱之别。药有君药臣药之分，那么药的功用就有多有少；人有强弱之别，那么用的剂量就可能减半或加倍。功用多就应有针对性，针对性强药见效快；剂量加倍那么药性就厚重，药性厚重药力也就能深入体内。如今医师用药治病，大多杂乱没有针对性，而且平淡死板没有变化；药效既不明显，而且治病时又不果敢胆大，所以病大多都不能治愈。世人只以没有杀人的医师为贤医，可知道即使是古时候的上等医师，也不可能把所有病人都治愈。《周礼·医师》中说：“年终的时候，考察他们治病的情况来制定他们的俸禄。能把病人全部治好的为上等;有十分之一没有治好的为第二等;有十分之二没有治好的为第三等;有十分之三没有治好的为第四等;有十分之四没有治好的为下等。”所以有十分之三四没有治好的医师,古人仍然会任用他们。淳于意回答孝文帝时尚且说:“经常有治不好的,臣即使想也不能全部治好。”《易》说:“纵容父辈的过错,长此以往必遭谴辱。”为何独独取那种纵容过错的?大概以为人虽死,但并不是因为我的行为。唉,这就是张禹使汉朝灭亡、李林甫使唐朝灭亡的原因!(朱熹《与刘子澄书》中所论述的“四君子汤”,意思大概也是如此。)

【原文】

《唐书》[①]许胤宗[②]言:“古之上医,惟是别[③]脉,脉既精别,然后识病。夫病之与药有正相当者[④],惟须单用一味,直攻彼病,药力既纯,病即立愈。今人不能别脉,莫识病源。以情臆度,多安药味[⑤]。譬之于猎,未知兔所,多发人马,空地遮围,冀[⑥]有一人获之,术亦疏[⑦]矣。假令一药偶然当病,他味相制[⑧],气势不行,所以难差,谅由于此。”《后汉书》:华佗“精于方药,处齐不过数种。”[⑨]夫《师》[⑩]之“六五”[⑪],任“九二”[⑫]则吉,参以“三”“四”[⑬]则凶。是故官多则乱,将多则败,天下之事亦犹此矣。

【注释】

①《唐书》:有新旧两种。《旧唐书》二百卷,五代后晋刘昫奉敕撰;《新唐书》二百二十五卷,宋仁宗时命欧阳修、宋祁等人重修。此处指《旧唐书》,引文与《旧唐书》卷一九一《许胤宗列传》原文有所出入。

②许胤(yìn)宗(约536—约626):隋唐时期名医,以治疗骨蒸病(类似结核病)而著名。

③别:辨别。

④有正相当者:有正好合适的。

⑤多安药味:开多味药。安,置。

⑥冀:希冀,希望。

⑦疏:粗疏,粗糙。

⑧相制:相互制约,相互牵制。

⑨“精于方药”二句:语出《后汉书》卷八二《华佗列传》。方药,医方与药物。处齐,亦作“处剂”,开列治疗某一疾病的各种药物及分量。齐,通剂。

⑩《师》:《易经·师卦》。

⑪六五:《师卦》的六五爻辞,六五凶。

⑫九二:《师卦》的九二爻辞,九二吉。

⑬三、四:《师卦》的六三、六四爻辞。

【译文】

《唐书》许胤宗说:“古代上等医师,只是善于辨别脉象。脉象得到了精准辨别,才可以识别病症。病对于药,有正合适的,只需单用一味药,直攻那一种病,药力单纯,病人立即就痊愈了。今人不能识别脉象,不能了解病源。以病情臆测,开多味药。用狩猎来比喻,不知道兔子窝所在,就派遣许多人马,在空地上遮拦围堵,或许能指望有个人能抓获兔子,如此技术也太粗疏了。假使某一味药恰好对症,却与其他药互相制衡,所以气势不能通行,难以治愈,推想就是由于这个原因。”《后汉书》:华佗“精通医方药物,处方剂量也不过数种。”

《周易·师卦》的六五爻辞是,凭借《师卦》的九二爻辞就吉利,参阅《师卦》的六三、六四爻辞就不吉利。所以官吏多了国家就混乱,将帅多了打仗就会失败,天下的事情也是这样啊。

【题解】

《自视欿然》选自《日知录》卷七。欿然，即不骄傲自满，谦虚的样子。顾炎武认为人在治学上面，既不可以轻视自己，自暴自弃，也不可以抬高自己，骄傲自满。轻视自己的人，是真的卑贱渺小，抬高自己的人，也同样卑贱渺小。伯夷、伊尹，仅仅统治百里大的土地，却能够使诸侯来朝、天下统一。这是不轻视自己。禹从农夫、瓦工、渔人做到天子，没有哪处优点不是借鉴了别人的。这是不抬高自己。所以对自己有清楚的认识，治学乃至人生才能有所成就。

自视欿然

【原文】

人之为学，不可自小，又不可自大。“得百里之地而君之，皆足以朝诸侯，有天下”①，不敢自小也。“附之以韩、魏之家，如其自视欿然，则过人远矣”②，不敢自大也。“‘予将以斯道觉斯民也’③……思天下之民，匹夫匹妇④有不被⑤尧、舜之泽⑥者，若己推而内⑦之沟中”，则可谓不自小矣。“自耕稼陶渔以至为帝，无非取于人者”⑧，则可谓不自大矣。故自小，小也；自大，亦小也。今之学者非自小则自大，吾见其同为小人之归而已。

【注释】

①“得百里之地而君之”三句：出自《孟子·公孙丑上》。公孙丑问孟子伯夷、伊尹的相似之处，孟子用此句话回答他。意思是伯夷、伊

尹得到方圆百里的地方并统治它，都足够能使诸侯来朝，天下统一。君，此处作动词用，统治。朝，使动用法，使……朝见。

②"附之以韩、魏之家"三句：出自《孟子·尽心上》。韩、魏之家，晋六卿当中极为富有的两大家族。欿(kǎn)然：不自满、谦虚的样子。

③予将以斯道觉斯民也：我将用这些道理使百姓觉悟。此句及其以后三句出自《孟子·万章上》。斯，这。

④匹夫匹妇：平民男子、妇女，泛指平民百姓。

⑤被(pī)：覆盖。

⑥泽：恩泽。

⑦内：通"纳"，纳入。

⑧"自耕稼陶渔以至为帝"二句：出自《孟子·公孙丑上》，意思是禹从种庄稼、制作瓦器、打渔一直到做天子，没有一处优点不是从别人身上汲取而来的。传说大禹曾在历山耕种，在河滨做瓦器，在雷泽打渔。

【译文】

人在治学上，既不可以轻视自己，也不可以抬高自己。"伯夷、伊尹得到方圆百里的地方并统治它，他们都足够能使诸侯来朝、天下统一"，这是不轻视自己。"把韩、魏两家的财富权势全部加之于他身上，他还是很谦虚，那么他就远远超出常人了"，这是不抬高自己。"'我将要用这道理使天下百姓觉悟'……他想到天下百姓，男男女女中有不获得尧、舜恩泽的人，就好像是他自己将他们推到水沟中一样"，这可以说是不轻视自己啊。"禹从种庄稼、制作瓦器、打渔一直到做天子，没有一处优点不是从别人身上汲取而来的"，这可以说是不抬高自己。所以轻视自己，自己是真的卑贱渺小；抬高自己，自己也卑贱渺小了。如今的学者不是轻视自己就是抬高自己，依我看，他们跟小人同为一流罢了。

【题解】

《法制》选自《日知录》卷八。顾炎武在此条中猛烈抨击封建时代的法律制度，认为法制禁令的根本在于正人心、厚风俗。而封建时代的法制禁令，或是“人主自为之”，或是“愈多而愈繁”，结果导致法制失去了其存在的意义，成为服从人的工具，也即“法行则人从法，法败则法从人”。顾炎武推崇汉代三老移风易俗之法，推崇诸葛孔明开诚心、布公道之法，认为明朝洪武六年设立的从下而上的法律裁决方法，行之有效而方便。总而言之，法制不可无，同时法制不可极简，也不可极繁。开天下公法，层级分明，仲裁公允才是法制得以正人心、厚风俗的有效途径。

法　制

【原文】

法制禁令，王者之所不废，而非所以为治也[1]，其本[2]在正人心、厚风俗而已。故曰：“居敬而行简，以临其民。”[3]周公作《立政》之书[4]，曰：“文王罔攸兼于庶言、庶狱、庶慎。”[5]又曰：“庶狱、庶慎，文王罔敢知于兹[6]。”其丁宁[7]后人之意可谓至矣。秦始皇之治天下之事，无大小皆决于上，上至于衡石量书[8]，日夜有呈[9]，不中呈不得休息，而秦遂以亡。太史公[10]曰：“昔天下之网尝密矣，然奸伪萌起，其极也上下相遁，至于不振。”[11]然则法禁之多，乃所以为趣亡之具[12]，而愚暗之君犹以为未至也。杜子美诗[13]曰：“舜举十六相，身尊道何高。秦时任商鞅，法令

如牛毛。”[14] 又曰:“君看灯烛张,转使飞蛾密。”[15] 其切中近朝之事乎?

汉文帝诏置三老、孝弟力田常员[16],令各率[17]其意,以道[18]民焉。夫三老之卑[19]而使之得率其意,此文景之治[20]所以至于移风易俗,黎民醇厚,而上拟于成康之盛[21]也。

【注释】

①而非所以为治:并不是用来治理天下。治,此处指治理天下。

②其:代指治理天下。本:根本。

③“居敬而行简”二句:见《论语·雍也》,意思是态度严肃认真,行事简单明了,用这样的方法来治理百姓。临,(上对下)面临,引申为治理、统治。

④周公:周文王的儿子,名旦。襄助武王讨伐商纣王,武王死后,继位的成王年龄幼小,周公辅政。《立政》:《尚书》中的一篇。

⑤文王罔攸兼于庶言、庶狱、庶慎:意思是周文王对众人之言以及众多刑狱得失和众多应当慎重的事无所兼知。罔,无。攸,所。庶言,众人之言,舆论。庶狱,各类刑狱、诉讼等司法案件。庶慎,各类应当慎重的事情。

⑥文王罔敢知于兹:意思是文王对庶狱、庶慎等方面不加以干预(只是委任贤能去处理)。兹,代指庶狱、庶慎。

⑦丁宁:叮咛,反复地嘱咐。

⑧衡石(dàn)量书:衡是称量,石为计量单位,古代一百二十斤为一石。书指奏章,意思是每天称量一石的奏章。

⑨呈:通“程”,定量,标准。

⑩太史公:司马迁(约前145—前90),字子长,西汉伟大的史学家、文

学家、思想家,《史记》的作者。

⑪“昔天下之网尝密矣”四句:出自《史记》卷一二二《酷吏列传》,意思是过去普天下的法网非常严密,然而奸佞伪诈萌生。当法令严酷到极点的时候,官吏躲避君主,百姓躲避官吏,以致国家弊政无所救治。萌,发芽,丛生。遁,逃避。振,挽救,救治。

⑫趣(cù):古同“促”,促使。具:工具。

⑬杜子美:杜甫(712—770),字子美,唐朝著名诗人,其诗有“诗史”之称。

⑭“舜举十六相”四句:见杜甫《述古三首》其二。舜举十六相,事见《左传·文公十八年》,高阳氏有才子八人,天下人称之为八恺;高辛氏有才子八人,天下人称之为八元。这十六族,尧未能推举,而舜推举八恺掌管百事,推举八元布施五教。商鞅(约前395—前338),战国时期政治家,法家代表人物,秦孝公任用他进行变法,史称“商鞅变法”。

⑮“君看灯烛张”二句:见杜甫《写怀三首》其一,言外之意是法令越多犯法的人也越多。

⑯三老:汉代掌管一乡教化的乡官。孝弟力田:汉代负责教民务农的乡官。孝弟,也作“孝悌”。常员:定员。

⑰率:遵循,遵行。

⑱道:通“导”,引导,引领。

⑲卑:指地位低下。

⑳文景之治:指西汉文帝、景帝时期,推崇黄老之术,采取“轻徭薄赋”“与民休息”的政策,使汉初凋敝的社会经济得以恢复并迅速发展,出现了多年的稳定富裕景象,史学家誉之为“文景之治”。

㉑成康之盛:指西周成王、康王统治时期,对内推行周公“以德慎罚”

的主张，对外控制少数民族地区，使天下安宁，刑具四十年未曾动用，史称“成康之治”。

【译文】

法制禁令，王者不能废而不用，但也不能完全依赖它来治理天下。治理天下的根本在于端正人心、使风俗醇厚。所以说：“态度严肃认真，行事简单明了，用这样的方法来治理百姓。”周公作《立政》之书，说：“文王无所兼知众人之言以及众多刑狱得失和众多应当慎重的事。”又说：“众多刑狱得失，众多应当慎重的事，文王不敢全然知悉干预。”他叮咛后人的意思可以说是达到极致了。秦始皇治理天下之事，无论大小皆由他一个人决断，以至于每天称量一石的奏章，白天晚上都有标准，没有达到标准就不能休息，而秦朝却因此灭亡。太史公说：“昔日天下的法网是多么严密，然而奸佞伪诈的人层出不穷。法令严酷到极点的时候国内上上下下相互逃避，以致朝政弊端无法拯救。”但是法制禁令太多，才是成为促使国家灭亡的工具，而愚昧的君主还以为做得不够多。杜子美的诗说：“舜推举十六相，身份尊贵，道何其高。秦时任用商鞅，法令多如牛毛。”又说：“你看灯烛一展开，转眼就使飞蛾变多。”岂不是很切中近朝的情况？

汉文帝下诏设置三老、孝悌力田作为常设官员，下令让他们各自遵循教化，来引导百姓。连地位低下的三老都能遵循教化，这就是文景之治之所以能够移风易俗，使百姓纯朴忠厚，往上可以与西周成王、康王时代的繁盛相媲美的原因。

【原文】

诸葛孔明[①] 开诚心，布公道，而上下之交，人无间

言[②],以蕞尔之蜀[③],犹得小康。魏操[④]、吴权[⑤]任法术以御[⑥]其臣,而篡逆相仍[⑦],略[⑧]无宁岁。天下之事,固非法之所能防也。

叔向与子产书曰[⑨]:"国将亡,必多制。"[⑩]夫法制繁则巧猾之徒皆得以法为市[⑪],而虽有贤者,不能自用,此国事之所以日非也。善乎杜元凯[⑫]之解《左氏》[⑬]也,曰:"法行则人从法,法败则法从人。"[⑭]宣公十二年《传》解。

前人立法之初,不能详究事势,豫[⑮]为变通之地。后人承其已弊,拘于旧章,不能更革,而复立一法以救之,于是法愈繁而弊愈多,天下之事日至于丛脞[⑯],其究也"眊而不行"[⑰],语出《汉书·董仲舒传》。师古[⑱]曰:"眊,不明也。"**上下相蒙,以为无失祖制而已。此莫甚于有明之世,如勾军[⑲]、行钞[⑳]二事,立法以救法,而终不善者也。**

【注释】

①诸葛孔明:诸葛亮(181—234),字孔明,号卧龙(也作伏龙),三国时期蜀国政治家、军事家。

②间(jiàn)言:非议,不满之言。

③蕞(zuì)尔:很小的样子。蜀:三国时蜀国,公元 221 年,刘备在成都称帝,国号汉,史称蜀汉。

④魏操:三国时期魏国的曹操。曹操(155—220),字孟德,小字阿瞒,三国时政治家、军事家、诗人。公元 220 年曹操的儿子曹丕代汉称帝,追谥曹操为魏武帝。

⑤吴权:三国时期吴国的孙权。孙权(182—252),字仲谋,公元 222 年,孙权被魏文帝曹丕封为吴王。公元 229 年,孙权正式称帝。

⑥御：古时上级对下级的统治、治理。

⑦篡逆：篡位，谋逆。仍：频繁，重复。

⑧略：全，尽。

⑨叔向：复姓羊舌，名肸（xī），字叔向，生卒年不详，春秋时期晋国大夫。子产（约前580—前521）：姓公孙，名侨，字子产，郑穆公之孙，春秋时期杰出的政治家、思想家。

⑩国将亡，必多制：语见《左传·昭公六年》，意思是国家将要灭亡的时候，制度一定繁多。

⑪以法为市：用法作为交易。市，交易。

⑫杜元凯：杜预（222—285），元凯是杜预的字。他是西晋时期著名的政治家、军事家和学者，所著《春秋左氏经传集解》是《左传》注解流传至今最早的一种。

⑬《左氏》：即《左传》，又称《春秋左氏传》。

⑭"法行则人从法"二句：见《左传·宣公十二年》"有律以如己也"杜预的注释。

⑮豫：同"预"，预先。

⑯丛脞（cuǒ）：细小，琐碎。

⑰究：尽，极。眊（mào）：眼睛看不清楚，引申为糊涂。

⑱师古：颜师古（581—645），名籀，字师古，隋唐时士人多以字行于世。《颜氏家训》作者颜之推的孙子，博览群书，精通训诂，师古所注《汉书》，大行于世，为《汉书》功臣。

⑲勾军：征兵。明代在各地设置卫所，士兵由百姓充当，即军户。军户世代承袭，但军士老死、生病甚至逃亡的很多，若父死则子继，若军户一家全部死亡，就让军户族人顶充。

⑳行钞：发行纸币。明代印制的纸币大明宝钞与铜钱、白银等并用，

但弊病甚多，纸币贬值，流通范围越来越窄，物价昂贵。政府财政困难，钱法日益败坏。

【译文】

诸葛孔明开诚心，布公道。上级与下级之间交往，没有人有不满的言论，小小的蜀国也能达到小康。魏国曹操、吴国孙权任用法术来统治臣下，但篡位谋反之事相继不绝，几乎没有安宁的岁月。可见天下之事，本来就不是只用法制就能禁止的。

叔向在写给子产的书信中说："国家将要灭亡，必然有许多制度。"法制繁多，那么奸巧狡猾的人都能够把法制作为交易，即使有贤能的人，也不能够运用自己的才能，这就是国事一天不如一天的原因。杜元凯解释《左传》真是对极了，他说："法令施行，那么人人会服从法令，法令败坏，那么法令服从人。"（这是《左传·宣公十二年》的解释。）

前人设立法制之初，并不能够详细弄清事情原委，预先留下变通的余地。后人继承前人已经存在弊端的法制，拘泥于旧章，不能够变革，反而另外设立一种法制来拯救这些弊端。于是法制越来越繁杂而弊病也越来越多，天下的事情也日益细碎，以至于到了极端地步就马虎过去不去处理。（出自《汉书·董仲舒传》。颜师古说："眊，不清晰、不明白。"）上下互相欺蒙，以为没有违反祖宗定下的法制就行了。这种情况没有比明朝更明显了，比如勾军、行钞这两件事，设立新的法制以拯救旧法，最终都没有做好。

【原文】

宋叶适[1]言："国家因唐、五代之极弊，收敛藩镇[2]之

权，尽归于上，一兵之籍，一财之源，一地之守，皆人主自为之也。欲专大利[3]而无受其大害，遂废人而用法，废官而用吏[4]，禁防纤悉[5]，特与古异，而威柄[6]最为不分。虽然，岂有是哉！故人才衰乏，外削中弱[7]，以天下之大而畏人，是一代之法度又有以使之矣[8]。"又曰："今内外上下，一事之小，一罪之微[9]，皆先有法以待之。极一世之人志虑之所周浃[10]，忽得一智，自以为甚奇，而法固已备之矣，是法之密也。然而人之才不获尽，人之志不获伸，昏然俯首[11]，一听于法度，而事功[12]日堕，风俗日坏，贫民愈无告[13]，奸人愈得志，此上下之所同患，而臣不敢诬也。"又曰："万里之远，嚬呻动息[14]，上皆知之。虽然，无所寄任[15]，天下泛泛[16]焉而已。百年之忧，一朝之患，皆上所独当[17]，而群臣不与也。夫万里之远，皆上所制命[18]，则上诚利矣。百年之忧，一朝之患，皆上所独当，而其害如之何[19]？此夷狄[20]所以凭陵而莫御[21]，仇耻所以最甚而莫报也。"

【注释】

①叶适(1150—1123)：字正则，南宋哲学家，永嘉学派代表人物，人称水心先生。引文见《水心先生文集》卷四《始论二》和《实谋》。

②藩镇：唐玄宗时，为防异族侵犯，在边陲设置九个节度使，一个经略使；安史之乱后在全国各地先后设置节度使、观察使，通称藩镇或方镇。各藩镇统领所属之地的甲兵，执掌军权政权，因而形成藩镇割据之势，对中央集权存在威胁。藩镇间相互讨伐攻战，导致社会动乱，生产遭到严重破坏。

③专大利：独自享受最大的利益。专，独自掌握、占有。

④吏：官府中的胥吏或差役。

⑤禁防：禁止防范。纤悉：细致而详尽。

⑥威柄：威权，权利。

⑦外削中弱：指边境与中枢力量都很薄弱。削，减弱，削减。

⑧有以：做介词用，表示具有某种条件。使：促使。

⑨微：渺小，细小。

⑩周浃(jiā)：周匝，周密。

⑪昏然：迷糊不清。俯首：低下头。

⑫事功：事业和功绩。

⑬无告：穷困疾苦却无处诉说。《孟子·梁惠王下》："老而无妻曰鳏，老而无夫曰寡，老而无子曰独，幼而无父曰孤，此四者天下之穷民而无告者。"

⑭嚬(pín)呻：蹙眉呻吟，苦吟。嚬，古同颦(pín)，皱眉，蹙眉。动息：动静，指消息、情况。

⑮寄任：指委托重要职责。

⑯泛泛：浮动、松弛的样子。

⑰独当：独自承当，独当一面。

⑱制命：制定命令，古代称帝王下命令为制命。

⑲如之何："何如"的倒装，"之"为倒装的标志，即怎么样、怎么办。

⑳夷狄：古称东方部族为夷，称北方部族为狄。后常用夷狄泛称除华夏族以外的各族。原作"外寇"，黄汝成《日知录集释》本据《校记》改。

㉑凭陵：或作"冯(píng)陵"，侵扰。莫：不。御：防御，抵御。

【译文】

宋人叶适说:“国家因为吸取唐朝及五代时期的教训,收敛藩镇的权利,使其统统归于皇上。一兵之籍,一财之源,一地之守,都由皇帝亲自安排。想独自享受最大的利益而不受到最大的伤害,于是废弃用人而改用法制,废弃大官而采用差役,禁止防范细致而详尽,与古时特别不同,而威权最是不分。道理虽是这样,岂有真这样办的!所以人才衰减缺乏,边境、中央实力都很薄弱,凭天下之大却畏惧他人,这就是一代法度把它弄成这样的。”又说:“如今朝廷内外,国家上下,对一桩小事,一点小罪,都制定了法制,极尽一世人周密的思索与考虑。忽然想到一个好办法,自以为十分奇特,其实法制已经作了详细规定了,这就是法制的严密。然而人的才能不能尽用,人的志向不能尽情伸展,迷迷糊糊低着头,一切听命于法度,以致事业功绩日益毁坏,风俗日益败坏。贫民的疾苦更加无处申告,奸人更加得志,这是国内上下都很担忧的,而臣也不敢欺诬。”又说:“万里之遥的百姓皱眉呻吟,一动一静,皇上都能知晓,即使这样,没有可委托重要职责的人,整个天下也就浮动松弛罢了。百年的忧患,一朝的灾祸,全部由皇上独自承担,而文武群臣不参与丝毫。万里之遥都由皇上亲自拟定命令,那么皇上诚然得利了;百年的忧患,一朝的灾祸,全部都由皇上独自承担,那么又有什么害处呢?这就是夷狄侵扰中原而中原不能防御的原因,是仇恨耻辱最为严重却不能洗雪的原因。”

【原文】

陈亮[①]《上孝宗[②]书》曰:“五代之际,兵财之柄倒持于下,艺祖皇帝束之于上[③],以定祸乱。后世不原[④]其意,束之不已[⑤],故郡县空虚,而本末俱弱。”

洪武[⑥]六年九月丁未，命有司[⑦]庶务更月报为季报，以季报之数类[⑧]为岁报。凡府、州、县[⑨]轻重狱囚即依律断决，不须转发。果有违枉，从御史、按察司纠劾[⑩]。令出，天下便之。

【注释】

①陈亮(1143—1194)：原名汝能，后改名陈亮，字同甫，号龙川，学者称龙川先生。南宋思想家、文学家。引文见《宋史》卷四三六《陈亮传》。

②孝宗：宋孝宗赵昚(shèn)，1162年至1189年在位，南宋第二位皇帝。

③艺祖皇帝：有才艺文德的祖先，古代对祖先的美称，后为太祖或高祖的通称。这里指宋太祖赵匡胤。束：集中。

④原：推究，考查。

⑤不已：不止。

⑥洪武：明太祖朱元璋的年号，自1368年至1398年。

⑦有司：指官吏，古代设官分职，各有专司，所以称"有司"。

⑧类：汇总，综合。

⑨府、州、县：明代地方行政区划大体继承元代，但取消了元代路的建制，仅设府、州、县三级。

⑩御史：官名，明时隶属都察院，职能是巡察州县，监察百官。按察司：明代在各省设立提刑按察使司，设立按察使，掌管刑狱。

【译文】

陈亮《上孝宗书》说："五代时期，兵权、财政权被下面官员把持，艺祖皇帝集中兵权，是为了平定祸乱。后世不推究他的本意，不停地集中兵权、财政权，所以郡县空虚，使得国家上下本末都很衰弱。”

洪武六年(1373)九月丁未，皇帝命令各专职部门的事物由每月呈报一次改为每季度呈报一次，以季度呈报的数目汇总，每年汇报一次。凡是府、州、县里的狱囚，都要依据律法进行裁决，不必转报。若真有判决失当的，让御史、按察司纠察弹劾。命令发布后，天下都觉得方便可行。

【题解】

《街道》选自《日知录》卷十二。街道，即交通，是国家治理的重要因素。中国古代，对都城、郊外、野外道路都设置专门的官员进行管理，使得“舟车所至，人力所通，无不荡荡平平”。以楚庄王霸主之尊尚且留意小巷子里的沟渠，因而，以一街一道之景象，可窥国家治理之全豹、君主勤民之一斑。譬如道路阻塞、河川不通，抑或仅贵人履踏、不通牛马，则非太平盛世之景。顾炎武在叙述古代，尤其是秦汉以前的道路管理制度之后，在文末仅数笔勾勒明朝的相应制度，“本朝两京有街道官，车牛不允许入城”，可见顾炎武对明朝统治之反思。

街　道

【原文】

古之王者，于国中之道路，则有条狼氏涤除道上之狼扈而使之洁清[①]。于郊外之道路，则有野庐氏达之四畿[②]，合方氏达之天下[③]，使之津梁相凑[④]，不得陷绝。而又有遂师以巡其道修[⑤]，候人以掌其方之道治[⑥]。至于司险掌九州之图[⑦]，以周知其山林川泽之阻，而达其道路。则舟车所至，人力所通，无不荡荡平平[⑧]者矣。晋文[⑨]之霸也，亦曰：“司空以时平易道路。”[⑩]而道路若塞，川无舟梁，单子[⑪]以卜陈灵[⑫]之亡。自天街[⑬]不正，王路倾危，涂潦遍于郊关[⑭]，污秽钟于辇毂[⑮]。《诗》曰：“周道如砥，其直如矢。[⑯]君子所履，小人所视。[⑰]睠言顾之，潸焉出涕。[⑱]”其今日之谓与？[⑲]

【注释】

①条狼氏：官名，属《周礼》中的秋官，负责清洁道路，驱避行人。涤(dí)除：涤荡，清除。狼扈(hù)：道路上的不洁净之物，如同今日所说的“狼藉”。

②野庐氏：官名，属《周礼》中的秋官，负责从国都到四畿的道路通畅。四畿(jī)：四面各距王都五百里之地。

③合方氏：官名，属《周礼》中的夏官，掌管天下交通，货物流通，统一货物标准及度量衡。

④津梁相凑：渡口和桥梁相接近。津，渡口。梁，桥梁。凑，接近，聚集。

⑤遂师：官名，属《周礼》中的地官，为一遂的佐官，辅佐遂人掌管一遂的政令，包括农业、赋税、军旅、祭祀、交通等等。一遂即一道、一路。巡其道修：巡视整治道路。

⑥候人：官名，属《周礼》中的夏官，掌管所辖地区的道路治理。道治：即道路修整、整治。

⑦司险：官名，属《周礼》中的夏官，掌管九州地图，详细知晓各地山林、川泽险阻，并开通其中道路。

⑧荡荡平平：平坦。

⑨晋文：晋文公重耳(前671—前628)，姬姓，与周王室同宗，晋献公的儿子，晋国国君，春秋五霸中第二个称霸的霸主。

⑩“司空以时平易道路”句：出自《左传·襄公十一年》。司空，官名，掌管道路。以时，按时。平易，使动用法，使道路平坦易行。

⑪单(shàn)子：名朝，谥襄公，春秋时期单国国君，为周王室卿士。

⑫陈灵：名平国，春秋时期陈国国君。事见《国语·周语》，周定王派遣单襄公前往楚国聘问，向陈国借道。单襄公看到的是陈国道路

野草丛生,桥梁不修,庄稼稀疏,县城没客舍,而百姓都要去修观台。他回来后对周定王说:"陈侯即使不遭遇大的灾难,也会亡国。"

⑬天街:即天衢,国都中的街道。

⑭涂潦(lǎo):路上的积水。郊关:城邑四郊起防御作用的关门。

⑮钟:集聚,汇集。辇毂(niǎngǔ):原指天子的车架,此处指京师。

⑯周道如砥(dǐ),其直如矢(shǐ):道路像磨刀石一样平坦,笔直得像箭矢一样,形容周朝政治清明。周道,指周代官修的大道,后泛指官道。砥,磨刀石。矢,箭矢。此六句诗文出自《诗经·小雅·大东》。

⑰君子:指贵族,与下文"小人"相对。履:走,踩。小人:指平民百姓。

⑱睠言:回头看的样子。言,同"然",指"……的样子"。潸(shān):泪流不止的样子。

⑲"其今日之谓与"句:"今日"原本作"斯",黄汝成《日知录集释》本据《校记》改。

【译文】

古时设有条狼氏来清除国都道路上的不洁净之物,使道路洁净干爽。郊外则设有野庐氏掌管从国都到四畿的道路。设合方氏管理天下的道路,使得渡口和桥梁相互接近,不得断开。此外又设遂师巡视修整一遂的道路,设侯人掌管所辖地区的道路。至于司险,则掌管九州地图,详细了解九州内的山林、川泽等险阻之地,并负责修建通达的道路。那么船、车以及人力所能通达的地方,无不平平坦坦,没有险阻。晋文公称霸,也说:"司空按时平整道路。"道路堵塞,河流没有船只桥梁,所以单子卜算陈侯会亡国。天街不正,王路倾斜危险,道路上的积水遍布郊关，污秽之物汇集在京师。《诗经》说："官道像磨刀石，笔直得像箭矢。贵人在路上走，小民只能瞪眼望。回过头来再望望，不禁潸然泪下。"这说的就是今天吧？

【原文】

《说苑》[①]："楚庄王[②]伐陈，舍于有萧氏。谓路室之人[③]曰：'巷其不善乎，何沟之不浚[④]也？'"以庄王之霸而留意于一巷之沟，此以知其勤民[⑤]也。

后唐明宗[⑥]长兴元年正月，宗正少卿[⑦]李延祚奏请"止绝车牛，不许于天津桥[⑧]来往"。本朝两京[⑨]有街道官，车牛不许入城。

【注释】

①《说苑》：又名《新苑》，汉代刘向编纂的杂史小说集。

②楚庄王（？—前591）：楚穆王之子，春秋时期楚国最有成就的君主，春秋五霸之一。

③路室之人：路旁的屋主。

④浚（jùn）：疏通。

⑤勤民：尽心尽力于民事。

⑥后唐明宗：即李嗣源（867—933），五代十国时期后唐第二位皇帝，在位八年。长兴：李嗣源的年号。

⑦宗正少卿：官名，宗正寺少卿的简称，从四品。

⑧天津桥：在河南洛阳西南，隋炀帝迁都洛阳，因洛水穿城而过，有天汉之象，因此建造此桥。

⑨本朝：原本作"明制"，黄汝成《日知录集释》本据《校记》改。两京：

明朝两京，即南京与北京。

【译文】

《说苑》："楚庄王攻打陈国，在有萧氏家中休息，问路旁的屋主：'巷子里的人不友善吗，为何连沟都不疏通？'"以楚庄王霸主之尊尚且留意小巷子里的沟渠，由此可知楚庄王对民事尽心尽力。

后唐明宗长兴元年(930)正月，宗正少卿李延祚奏请"不允许车、牛在天津桥上来往"。本朝两京有街道官，车牛不允许入城。

【题解】

《官树》选自《日知录》卷十二。上条提到道路交通是国家治理的重要因素，而道路上所植之树，也是政治统治的体现。植树于道，一是记里程，二是荫行旅。《后汉书》记载，将作大匠“并树桐梓之类，列于道侧”，也即古时就有专门的官员对道旁之树进行管理。顾炎武特举《后周书·韦孝宽传》中韦孝宽勒令部下在设置土堆的地方种植槐树之例，说明植官树之举虽小，但既可以节省劳力物力，又使百姓得到了庇荫。

官　树

【原文】

《周礼·野庐氏》：“比国郊及野之道路、宿息、井、树。”[①]《国语》：单襄公述周制以告王[②]曰：“列树以表道，立鄙食以守路。”[③]《释名》曰：“古者列树以表道，道有夹沟以通水潦。”[④]古人于官道之旁必皆种树，以记里至[⑤]，以荫行旅[⑥]。是以南土之棠，召伯所茇[⑦]；道周之杜，君子来游。[⑧]固已宣美风谣[⑨]，流恩后嗣。子路治蒲，树木甚茂。[⑩]子产相郑，桃李垂街。[⑪]下至隋唐之代，而官槐官柳亦多见之诗篇，犹是人存政举[⑫]之效。近代政废法驰，任人斫伐[⑬]，周道如砥，若彼濯濯[⑭]，而官无勿翦之思[⑮]，民鲜侯旬之芘矣[⑯]。

【注释】

①“比国郊及野之道路……”句：出自《周礼·秋官·野庐氏》，意思是巡行检查国郊及野外的道路、供休息住宿的馆舍、供饮水的井、供庇荫的树。比，巡查、检查。国郊，国中及郊外，指国都周围百里的地区。宿息，道路上供休息住宿的馆舍。

②王：此处指周定王。

③“列树以表道”二句：见《国语·周语》，意思是路旁种植树木用来标识道路，在郊外设立饮食供应处来守卫道路。表道，标识道路。鄙食，在郊外路边供应饮食的馆舍。

④“古者列树以表道”二句：见《释名·释道》。水潦：路上的流水、积水。

⑤里至：里程。

⑥荫：庇护。行旅：远行的人，往来游客。

⑦南土之棠，召伯所茇(bá)：典出《诗经·召南·甘棠》：“蔽芾(fèi)甘棠，勿剪勿伐，召伯所茇。”意思是可爱的甘棠树，不要砍伐它，召公曾在这里露宿过。南土之棠，即甘棠。召伯，即姬奭(shì)，又称召公、邵公、邵康公，周文王庶子，西周开国重臣，与周公旦同名。周成王死后，召公辅佐周康王。茇，草舍，用作动词，作草舍。

⑧“道周之杜，君子来游”句：典出《诗经·唐风·有杕(dì)之杜》：“有杕之杜，生于道周。彼君子兮，噬肯来游。”意思是：孤零零的棠梨树，长在道路旁边。我心爱的那个人，可会来看我？道周，即道路旁边。

⑨宣美：宣扬赞美。风谣：指《诗经》十五国风。

⑩“子路治蒲，树木甚茂”句：典出《孔子家语》卷三《辩政》，子路是孔子的弟子，他治理蒲县，孔子称赞他有三善：恭敬、忠信、明察。子

路(前542—前480),姓仲,名由,春秋末期鲁国人,子路是仲由的字,孔子任鲁国司寇时,子路担任季孙氏的家臣,后来担任卫大夫孔悝的家臣。蒲,指蒲县,春秋时卫国地名,在今河南境内。

⑪“子产相郑,桃李垂街”句:《太平御览》卷九六七载:“《说苑》曰:‘公孙侨相郑,路不拾遗,桃李垂街,人不敢取。’”子产,又称“公孙侨”,春秋时执郑国政,其间实行改革,发展农业,不毁乡校,给郑国带来新气象。

⑫人存政举:指一个掌握政权的人活着的时候,他的政治主张便能贯彻。

⑬斫(zhuó)伐:砍倒,砍伐。

⑭濯濯(zhuó):形容山上没有草木。

⑮勿翦之思:即指《诗经·召南·甘棠》所说的“蔽芾甘棠,勿剪勿伐”。

⑯侯旬:语出《诗经·大雅·桑柔》:“菀(wǎn)彼桑柔,其下侯旬。”意思是嫩嫩的桑树长得很茂盛,桑树下面有浓密的树荫。侯,犹“维”。旬,指树荫浓密。芘(bì):通“庇”,庇护。

【译文】

《周礼·野庐氏》:“巡查国郊以及野外的道路、供休息住宿的馆舍、供饮水的井、供庇荫的树。”《国语》:单襄公向周定王叙述周代的制度:“在路旁种植树木用来标识道路,在郊外设立饮食供应处守卫道路。”《释名》说:“古时候种植树木用来标识道路,道路旁有夹沟用来疏通路上的积水。”古人在官道旁边必定会种植树木,用来标记里程,用来庇荫往来的旅客。南方的甘棠树,召伯曾经在树下留宿过;道路旁边的棠梨树,心爱之人会来游玩。诚然已经宣扬赞美国风,将恩泽留给后代子孙。子路治理蒲县,树木非常茂盛。子产执政郑国,桃李沉甸甸地垂在街边。下至隋唐时代，国家种植的槐树、柳树在诗篇中常常出现，这些都是前人政策所施行的效果。近代政务荒废、法制松弛，树木任人砍伐，官道像磨刀石一样平坦，光秃秃没有草木，而当官之人没有“勿翦勿伐”的想法，百姓也很少再有可庇护的树荫了。

【原文】

《续汉·百官志》[①]：将作大匠[②]“掌修作宗庙、路寝[③]、宫室、陵园土木之功，并树桐梓[④]之类，列于道侧。”是昔人固有专职。《三辅黄图》[⑤]：“长安御沟谓之杨沟，谓植高杨于其上也。”**《后周书·韦孝宽传》[⑥]：“为雍州刺史。先是[⑦]，路侧一里置一土堠[⑧]，经雨颓毁，每须修之。自孝宽临州，乃勒部内当堠处植槐树代之，既免修复，行旅又得芘荫。周文帝[⑨]后问知之，曰：‘岂得一州独尔，当令天下同之。’于是令诸州夹道[⑩]一里种一树，十里种三树，百里种五树焉。”**唐王维[⑪]诗云：“槐阴阴，到潼关。”[⑫]**《册府元龟》[⑬]：“唐玄宗开元二十八年正月，于两京[⑭]路及城中苑[⑮]内种果树。**郑审[⑯]有《奉使巡简两京路种果树事毕入奏》诗。**代宗永泰二年正月，种城内六街树。”**《中朝故事》[⑰]曰：“天街两畔槐木，俗号为槐衙，曲江池畔多柳，亦号为柳衙，以其成行排立也。”韦应物[⑱]诗云：“垂杨十二衢，隐映金张室。”[⑲]**《旧唐书·吴凑[⑳]传》：“官街树缺，所司植榆以补之。凑曰：‘榆非九衢之玩[㉑]。’命易之以槐。及槐阴成而凑卒，人指树而怀之。”《周礼·朝士》注曰：“槐之言怀也，怀来人于此。”**《淮南子》注同。**然则今日之官其无可怀之政也久矣。**

【注释】

①《续汉·百官志》:即《后汉书·百官志》。

②将作大匠:官名,秦代称将作少府,职掌宫室、宗庙、陵寝等的修建。

③路寝:古代帝王正殿。

④桐:树名,古书中多指梧桐。梓(zǐ):树名,可用来建筑房屋及制造器物。

⑤《三辅黄图》:古代地理书,作者佚名,大概成书于魏晋南北朝,是研究秦汉都城历史地理的可贵资料。

⑥《后周书》:即《周书》,二十四正史之一,唐代令狐德棻所修,记载北周、西魏的历史。韦孝宽(509—580):名宽,一名叔裕,字孝宽,南北朝时期西魏、北周杰出的军事家、战略家,年少时以字行于世,世人很少称他为韦叔裕。

⑦先是:在此之前。放在句首,用来追述往事。

⑧土堠(hòu):地理标志,记里数的土堆。

⑨周文帝:宇文泰(507—556),南北朝时期西魏权臣,他的儿子宇文觉篡位建立北周,追谥宇文泰为太祖文皇帝,因此称周文帝。

⑩夹道:道路两旁。

⑪王维(701—761):盛唐诗人,字摩诘,有“诗佛”之称,与孟浩然同为山水诗派代表人物,合称“王孟”。

⑫“槐阴阴,到潼关”句:出自王维《送李睢阳》诗。潼关,地名,在今陕西渭南附近。

⑬《册府元龟》:宋真宗于1005年创议编纂的一部千卷大类书,与《太平御览》《文苑英华》《全唐文》三种千卷大书并称“四大千”。

⑭两京:即西京西安和东京洛阳。

⑮苑:古代帝王游乐打猎的地方。

⑯郑审：生卒年不详，唐朝乾元年间(758—759)任袁州刺史，善诗善画，与杜甫交善。
⑰《中朝故事》：南唐尉迟偓(wò)撰，记录唐朝宣宗、懿宗、昭宗、衰宗四朝旧闻。
⑱韦应物(736—792)：唐朝山水派诗人，人称“韦苏州”，与王维、孟浩然、柳宗元合称“王孟韦柳”。
⑲“垂杨十二衢(qú)”二句：出自韦应物《拟古诗十二首》其二。衢，四通八达的道路。金张：指金日(mì)磾(dī)、张安世，二人都是汉宣帝时期的权贵，氏族繁盛，后人以金张代称显贵的世族。
⑳吴凑(730—800)：唐肃宗母亲章敬皇后的弟弟，才思敏捷，行事谨慎，见识超人。
㉑玩：供观赏之物。

【译文】

《后汉书·百官志》记载：将作大匠“掌管修建宗庙、帝王正殿、宫室、陵园等土木工程，并种植桐树、梓树之类，排列在道路旁边。”在古代，这些事务有专人掌管。(《三辅黄图》：“长安御沟又称为杨沟，是说在沟上方种植了高大的杨树。”)《后周书·韦孝宽传》：韦孝宽“担任雍州刺史。在此之前，道路旁边每隔一里就设置一个土堆，历经雨打，土堆颓毁，常需修整。自从孝宽治理雍州，便勒令部下在设置土堆的地方种植槐树，这样既免去了修复之力，又使往来的百姓得到庇荫。周文帝询问后得知此事，说：‘岂能只有一州是这样，应当令全天下都一样。’于是下令每个州县道路两旁每隔一里种植一种树，每隔十里种植三种树，每隔百里种植五种树。”(唐王维诗：“槐阴阴，到潼关。”)《册府元龟》：“唐玄宗开元二十八年(740)，在西京东京道路及城中苑内种植果树。（郑审有《奉使巡简两京路种果树事毕入奏》诗。）代宗永泰二年（766）正月，在城内六街种树。”（《中朝故事》说：“天街两畔种植了槐树，俗称槐衙，曲江池畔多柳树，称为柳衙，因为这些树成行排列。”韦应物诗说：“垂杨种在十二条大道上，掩映着贵族世家的府邸。”）《旧唐书·吴凑传》：“官道上缺少树木，主管长官种植榆树来补充。吴凑说：‘榆树不是种植在四通八达的道路上的树。’于是命人改种槐树。等到槐树茂密成荫的时候吴凑已逝世，人们都指着树怀念他。”《周礼·朝士》注说：“槐之所以说怀，是怀念有人来此地。”（《淮南子》注释也是这样说。）然而今天的官员已经很久没有可供怀念的政举了。

【题解】

《人聚》选自《日知录》卷十二。在顾炎武看来，人的聚集未必是一件好事。一则百姓聚集于城市、奔走于衙门，是因为四方动乱，赋税繁重；二则士子聚集于城市，是为求名求利，这使天下风俗为之败坏。但人又不能不聚集，关键是人应聚集于何处。顾炎武提出“人聚于乡而治，聚于城而乱”。在乡野，百姓有恒产有恒心，因而易于治理；反之，在城市，徭役繁重，人们竞于利，无恒产无恒心，难于治理。这是顾炎武对孟子“民有恒产则有恒心”的思想的阐发。

人　聚

【原文】

太史公言：汉文帝时，“人民乐业。因[①]其欲然，能不扰乱，故百姓遂安，自六七十翁亦未尝至市井。”刘宠[②]为会稽太守[③]，狗不夜吠，民不见吏，庞眉皓发之老未尝识郡朝[④]。《后汉书·循吏传》。**史之所称，其遗风[⑤]犹可想见。唐自开元全盛[⑥]之日，姚、宋[⑦]作相，海内升平。元稹[⑧]诗云：“戍烟生不见，村竖老犹纯。”[⑨]此唐之所以盛也。至大历[⑩]以后，四方多事，赋役繁兴，而小民奔走官府，日不暇给[⑪]。元结[⑫]作《时化》之篇，谓“人民为征赋所伤，州里化为祸邸”。此唐之所以衰也。**宋熙宁中行新法[⑬]，苏轼[⑭]在杭州作诗曰：“赢得儿童语音好，一年强半在城中。”[⑮]衰敝之政，自古一辙[⑯]。**予少时见山野之氓[⑰]，有白首[⑱]不见官长，安于畎亩[⑲]，不至城中者。洎于末造[⑳]，役繁讼多，终岁之功，**

半在官府，而小民有“家有二顷田，头枕衙门眠”之谚。见《曹县志》。**已而山有负隅[21]，林多伏莽[22]，遂舍其田园，徙于城郭。又一变而求名之士，诉枉之人，悉至京师，辇毂之间，易于郊坰[23]之路矣，锥刀之末[24]，将尽争之。五十年来，风俗遂至于此。今将静百姓之心而改其行，必在制民之产[25]，使之甘其食，美其服，而后教化可行，风俗可善乎！**

【注释】

①因：遵循。引文出自《史记》卷二五《律书》。

②刘宠：字祖荣，生卒年不详，东汉大臣，官至司徒、太尉，为人清廉不贪，爱民如子。

③会稽：地名，在今江苏苏州。太守：汉朝设立的一郡最高行政主管。

④庞眉皓发：眉发花白。庞，杂色。皓，洁白。郡朝：郡守，《日知录》卷二四《上下通称》：“汉人有以郡守之尊称为‘本朝’者……亦谓之‘郡朝’。”

⑤遗风：前代遗留的风气或前人遗留的风范。

⑥开元全盛：唐玄宗任用贤能，整顿吏治，励精图治，使得唐朝中期的政治经济趋向稳定，唐朝进入全盛时期，史称“开元盛世”。

⑦姚：姚崇(650—721)，本名元崇，字符之，唐朝名相，一生以公道、廉明著称，世称“救时之相”。宋：宋璟(663—737)，为人耿直贤忠，唐朝名相，亦于开元时期建树颇多。

⑧元稹(779—831)：字微之，唐朝著名诗人，与白居易共同提倡“新乐府运动”，并称“元白”。

⑨“戍烟生不见”二句：出自元稹《代曲江老人百韵》，意思是边防报警

的烟火看不见，粗俗的年轻人老后依旧很纯朴。戍烟，边防驻军报警的烟火。村竖，粗俗的年轻人。

⑩大历：唐代宗李豫年号，自766年至779年。

⑪日不暇给（jǐ）：每一天都没有空闲时间，形容事情繁忙。暇，空闲。给，足够。

⑫元结（719—772）：字次山，唐天宝年间进士，擅诗文，其诗多反映社会现实、民生疾苦。

⑬熙宁：北宋神宗赵顼的一个年号，自1068年至1077年。行新法：即著名的王安石变法，又称熙宁变法。

⑭苏轼（1037—1101）：字子瞻，号东坡居士，唐宋八大家之一，宋代文学最高成就的代表人物。

⑮“赢得儿童语音好”二句：出自苏轼《山村五绝》其四。意思是农村的孩子一年中有大半时间在城镇，学得城镇语音，却荒废了农耕生产。

⑯一辙：相同，没有变化。

⑰氓：百姓。

⑱白首：代指老人。

⑲畎（quǎn）亩：田野，田间。

⑳洎（jì）：及，到。末造：指朝代末期，此处指明末。

㉑已而：不久，后来。负嵎（yú）：此处指依恃险阻的山贼。负，依靠，依仗。嵎，山弯曲的地方。

㉒伏莽：潜伏在草木中的盗贼。

㉓郊坰（jiōng）：郊外。

㉔锥刀之末：小刀的边缘，比喻微小的利益。

㉕制民之产：孟子仁政思想的主要内容之一。使农民建立恒久的

产业。

【译文】

太史公说：汉文帝时期，“人民安居乐业，根据他们的想法去做事而不受官府的打扰，因此百姓有安定的生活，六七十岁的老翁也没有去过城市。”刘宠担任会稽太守时，夜里听不到狗叫，百姓见不到官吏，眉毛杂色发色花白的老人未曾认识郡守。（这段记载出自《后汉书·循吏传》。）历史所称赞的，前代遗留的风范可想而知。唐朝自开元盛世起，姚崇、宋璟担任宰相以来，海内升平。元稹诗云：“看不到报警的烟火，粗俗的年轻人老后依旧很纯朴。”这是唐朝之所以强盛的原因。但大历以后，四方多事，赋税杂役越来越多，而百姓奔走官府，天天忙得都没时间。元结写《时化》诗篇，说：“人民被赋税所伤害，州里变成了灾祸的府邸。”这是唐朝之所以衰落的原因。（宋朝熙宁年间施行新法，苏轼在杭州作诗说：“农村儿童学得城中的语音，一年大半时间在城中。”政策衰敝，自古如此。）我年少时见过山野村民，有老人从来不见官员，安乐地生活在田野之间，不到城中去。到了朝代末期，杂役、诉讼案件繁多，一年的功绩，有一半在官府，而百姓有“家里有二顷田，头枕着衙门眠”的谚语。（此段记载见《曹县志》。）不久，山中有山贼，林中多盗贼，百姓于是舍弃田园，迁徙到城郭。又经一次变化，追求名声的士子，诉讼冤情的人，都来到京师，京师一时比城外远郊的路还好走。即使是微小的利益，也都要争来抢去。五十年来，风俗竟然变成这样。如今要让百姓的心安静下来并且改变他们的行为，在于使人民有恒久的产业，使他们有爱吃的食物，让他们有华美的衣服，这之后教化便可以施行，风俗才可以变得善美啊！

【原文】

人聚于乡而治[①]，聚于城而乱。聚于乡则土地辟，田野治，欲民之无恒心，不可得也。聚于城则徭役繁，狱讼多，欲民之有恒心，不可得也。

昔在神宗[②]之世，一人不为[③]，四海少事。郡县之人，其至京师者，大抵通籍之官[④]，其仆从亦不过三四。下此即一二举贡[⑤]与白粮解户[⑥]而已。盖几[⑦]于古之所谓"道路罕行，市朝[⑧]生草"。《盐铁论》[⑨]。彼其时岂无山人游客干请[⑩]公卿，而各挟一艺，未至多人，衣食所须，其求易给。自东事[⑪]既兴，广行召募，杂流[⑫]之士，哆口[⑬]谈兵，九门[⑭]之中，填馗[⑮]溢巷。至于封章自荐，投匭[⑯]告密，甚者内结貂珰[⑰]，上窥鞶笑[⑱]，而人主之威福，且有不行者矣。《诗》曰："我生之初，尚无为。我生之后，逢此百罹。"[⑲]兴言及此，每辄为之流涕。

欲清辇毂之道，在使民各聚于其乡始。

【注释】

①治：与"乱"相对，社会安定、太平。

②神宗：即明神宗朱翊(yì)钧(1563—1620)，在位四十八年，是明朝在位时间最久的皇帝。其在位期间，任用张居正为内阁首辅，实行改革，社会经济有了较大的发展，百姓生活稳定。

③不为：此处指不作乱。

④大抵：大多数。通籍之官：指新进之官。

⑤举贡：举人，贡生。

⑥白粮解户：明代征收的供官廷及京师官员用的粮食叫白粮，解送白

粮到京城的百姓就叫白粮解户。

⑦几(jī):相近,接近。

⑧市朝:市是民间贸易的场所,朝是政府办事的地方,市朝泛指人口聚集的公共场所。

⑨《盐铁论》:西汉桓宽整理记录的关于著名的"盐铁会议"的重要史书。

⑩干(gàn)请:请求。

⑪东事:指清兵寇边。

⑫杂流:旧时对手艺工人的蔑称。

⑬哆(chǐ)口:张开嘴巴。

⑭九门:古代天子都城设九门,后用以称官门。

⑮馗(kuí):通"逵",通往各方的道路。

⑯匦(guǐ):箱子,小匣子。古时在四通八达的道路上安置的一些小匣子,准许百姓投匿名书,告发作恶的人。

⑰貂珰(diāodāng):汉代常侍所戴的帽子,后世因为宦官担任中常侍,所以称宦官为"貂珰"。

⑱颦(pín)笑:皱眉和欢笑,指厌恶和喜欢。

⑲"我生之初"四句:语出《诗经·王风·兔爰》。罹(lí),忧患,苦难。

【译文】

百姓聚集在乡村则社会安定,聚集在城市则社会动乱。聚集在乡村则土地得以开辟,田野得到治理,如此想要百姓没有恒心,是不可能的。聚集在城市则徭役繁多,诉讼案件增多,这样的话,想要百姓有恒心,也是不可能的。

明神宗在位期间,没有一个人作乱,四海之内没什么事。郡、县中的人，到京师的，大多数是新进之官，他们的仆从也不过三四人。此外也仅仅是一二举人、贡士以及白粮解户而已。这大概与古时所说的“道路上罕有行人，市朝上生有杂草”相同。（此记载出自《盐铁论》。）那个时候怎么会没有山人游客请求公卿，他们没有很多人，却各自身怀一技，需求也只是些衣食所需，所以很好满足。自从清兵寇边，广泛招募兵士，士人之外的人士，张口就谈兵事，人多得充满了街头巷尾。至于封章自我推荐，投书告密，甚至结党宦官，窥视上位者的一颦一笑，使得人主的权威恩泽，都有不能施行的。《诗经》说：“我生之前，尚且没有繁重的徭役赋税。我生之后，遭逢了千百种祸乱。”每每想到此句，都为之流涕。

想要使京师清明，要先使百姓各自回到他们的乡村。

【题解】

《水利》选自《日知录》卷十二，侧重讲水利工程。在古代，民以食为天，农为国政根本，而水利则成为农业发展兴盛的必备因素。古代四通八达的津渡、水面宽广的河川在明时大多变成了细小的河流，致使农田夏季干旱、秋季水淹。顾炎武对此痛心疾首，因此他高度赞扬洪武末年政府在水利工程上所作的努力。同时，他指出，水利工程并非立时见效之事，唐代姜师度任同州刺史，首开沟渠，但经年不见功效，人们议论纷纷，然而历久经年，过去榛棘遍布之地，变成稻谷满川之仓。水利工程也随历史、地理、技术等变迁而有所改变，昔日黄河改道，"田者不能偿种"，而唐朝时却以此获利，可见"天下无难举之功，存乎其人而已"。

水　利

【原文】

欧阳永叔作《唐书·地理志》[①]，凡一渠之开，一堰[②]之立，无不记之其县之下，实兼《河渠》一志，亦可谓详而有体[③]矣。盖唐时为令[④]者犹得以用一方之财，兴[⑤]期月之役。而《志》之所书，大抵在天宝以前者居什之七，岂非太平之世，吏治修而民隐达[⑥]，故常以百里之官而创千年之利；至于河朔用兵[⑦]之后，则以催科[⑧]为急，而农功水道有不暇讲求者欤？然自大历以至咸通[⑨]，犹皆书之不绝于册。而今之为吏，则数十年无闻也已。水日干而土日积，山泽之气不通，又焉得而无水旱乎？

崇祯[10]时，有辅臣徐光启作书[11]，特详于水利之学。而给事中魏呈润[12]亦言："《传》曰：'雨者，水气所化。'水利修亦致雨之术也。"夫子之称禹也曰："尽力乎沟洫。"[13]而禹自言亦曰："浚畎浍，距川。"[14]古圣人有天下之大事，而不遗乎其小如此。自干时著于齐人[15]，枯济征于王莽[16]，古之通津巨渎[17]，今日多为细流，而中原之田夏旱秋潦，年年告病矣。

龙门县[18]，今之河津[19]也。"北三十里有瓜谷山堰，贞观十年筑。东南二十三里有十石垆渠，二十三年县令长孙恕凿，溉田良沃，亩收十石。西二十一里有马鞍坞渠，亦恕所凿。有龙门仓，开元二年置。"[20]所以贮渠田之人，转般至京，以省关东之漕者也。[21]此即汉时河东太守番系[22]之策。《史记·河渠书》所谓"河移徙，渠不利，田者不能偿种。"而唐人行之，竟以获利。是以知天下无难举之功，存乎其人而已。谓后人之事必不能过前人者，不亦诬乎！

【注释】

①欧阳永叔：欧阳修(1007—1702)，字永叔，号醉翁，晚号六一居士。北宋诗文革新的领袖，唐宋八大家之一。《唐书·地理志》：即《新唐书·地理志》，《新唐书》为欧阳修与宋祁、范缜等奉敕所撰。

②堰(yàn)：堤坝。

③体：体例。

④令：县令。

⑤兴：举。期(jī)月：满月，一整月。

⑥吏治：指地方官吏的作风和治绩。修：得以整治。民隐：百姓的隐情。达：指达于上。

⑦河朔用兵：指安史之乱。河朔，黄河以北的地区。

⑧催科：催索赋税。

⑨咸通：为唐懿宗李漼年号，起于860年，止于874年，共计十五年。

⑩崇祯：即明思宗朱由检（1611—1644），明朝末代皇帝。

⑪辅臣：辅弼之臣。徐光启（1562—1633）：字子先，号玄扈。崇祯初，以礼部尚书入阁参机务，有经世之才，从利玛窦习西洋技术，攻习天文、算法、水利等。

⑫给（jǐ）事中：官名。明代分吏、户、礼、兵、刑、工六科，以辅助皇帝处理政务，并监察六部，纠弹官吏。魏呈润：字中严，生卒年不详，崇祯元年（1628）进士，上疏奏陈兵之策、北方水政，皆被采纳。

⑬夫子：即孔子。洫（xù）：田间水道。引文见《论语·泰伯》。

⑭“浚畎浍（quǎnkuài），距川”句，出自《尚书·益稷》，意思是疏浚田间水沟使水与河流相通。畎浍，田间水沟。距，至，到达。

⑮干时著于齐人：干时是春秋时齐国地名，在今山东淄博一带。《左传》注：“时水支流旱则竭涸，故曰干时。”这就是干时得名之由来。

⑯枯济征于王莽：《水经注》卷七《济水》：“济水当王莽之世，川渎枯竭。”济，指济水，发源于今河南济源，流经河南、山东入渤海。征，征丁。《汉书·沟洫志》记载：“王莽时，征能治河者以百数。”王莽（前45—公元23），字巨臣，篡夺汉朝皇位，建立新朝，公元前8年至公元23年在位，史称“王莽改制”。

⑰通津：四通八达的津渡。巨渎（dú）：水面宽广的河川。

⑱龙门县：唐朝置，在今河北张家口。

⑲河津：黄河的渡口。河，指黄河。

⑳“北三十里有瓜谷山堰”等句：见《新唐书》卷三九《地理志三》。

㉑“所以贮渠田之人，转般至京”三句：汉时从山东运粮到长安，逆流而上，中间险滩较多，沉船多发，损失过大。河东太守番系谏言开渠引汾水灌溉皮氏、汾阴地区，引黄河水灌溉汾阴、蒲板地区。那里土地荒废，百姓用来牧田，开渠可得良田万顷，每年得粮食二百万石。这与关东地区送粮没什么两样，可以免去关东送粮了。河渠开凿后，的确节省了不少漕运成本，但几年后黄河改道，水不能入渠而失去作用。（详见《史记》卷二九《河渠书》。）贮，贮藏，此处指聚集、发动。般，通“搬”。关东，古称函谷关以东的地方，约在今河南、山东等地。

㉒番系：生卒不详，西汉时人，元朔年间（前128—前123）任河东太守。

【译文】

欧阳修撰写《唐书·地理志》，凡一条水渠的开凿，一座堤坝的建立，无不记录在其县志之下，实际上连《河渠》一志，也可以说是详细而有体例。大概唐朝时一县之令还可以使用一方的财力，兴举一整月的劳役。而《地理志》所记载的，大抵在天宝年间以前的有十分之七，可谓太平盛世。此时吏治整顿，民情达于上，所以常常有百里之地的小官创造裨益千年的功业；河朔用兵之后，朝廷就把催索赋税当作紧急之事，对农业水利工程就没有时间管理了吗？自大历时期一直到咸通年间，水利之事一直在史书中记载着，不曾断绝。然而今天当官的，有几十年没有听说要治水利的了。水日渐干涸，土壤日渐堆积，山泽之气不通，又怎么会没有水灾旱灾呢？崇祯皇帝时期，辅臣徐光启作书，特别详细地讲述了水利方面的学问。而给事中魏呈润说："《传》说：'雨，是水气所化的。'兴修水利也是降雨的法术。"夫子称赞大禹说："尽力于田间水道。"而大禹自己也说："疏通田间水沟，使水沟之水与河流相通。"古代圣人举天下之大事，但也不遗漏像这样微乎其微的小事。自从干时著称于齐国，济水因王莽征丁治水道而枯竭，古代四通八达的津渡、水面宽广的河川，今天大多都变成了细小的河流，以致中原的农田夏季干旱，秋季遭水淹，年年都有灾患。

龙门县是现在黄河的渡口。"北三十里有瓜谷山堰，是贞观十年(636)建造的。东南二十三里有十石垆渠，为二十三年(649)县令长孙恕开凿，所灌溉的田都成为沃土，每亩收粮十石。西二十一里有马鞍坞渠，也是长孙恕所开凿的。还有龙门仓，开元二年(714)建。"所以，发动开凿渠田的百姓，转而搬至京城，可以免除关东漕运。这就是汉代时河东太守番系的策略。《史记·河渠书》说"黄河改道，渠水不足，种田的收成还不够种子的费用"，而唐代人施行同样的政策，竟然因此获利。由此可知天下并没有难以施行的功业，关键是什么人去做罢了。说后人的事业必定不能超过前人，不也是骗人的话吗！

【原文】

唐姜师度[①]为同州[②]刺史，开元八年十月诏曰："昔史起溉漳之策[③]，郑白凿泾之利[④]，自兹厥后，声尘缺然。同州刺史姜师度识洞于微，智形未兆[⑤]，匪躬之节[⑥]，所怀必罄[⑦]，奉公之道，知无不为。顷职大农[⑧]，首开沟洫。岁功犹昧[⑨]，物议纷如[⑩]。缘其忠款可嘉[⑪]，委任仍旧。暂停九列[⑫]之重，假以六条[⑬]之察。白藏[⑭]过半，绩用[⑮]斯多。食乃人天[⑯]，农为政本。朕故兹巡省，不惮祁寒[⑰]，将申劝恤之怀，特冒风霜之弊。今原田[⑱]弥望，畎浍连属，繇来榛

粫之所[19]，遍为秔稻之川[20]，仓庾有京坻之饶[21]，关辅致亩金之润[22]。本营此地，欲利平人[23]，缘百姓未开，恐三农虚弃[24]，所以官为开发，冀令递相教诱。功既成矣，思与共之。其屯田内先有百姓注籍[25]之地，比来[26]召人作主，亦量准顷亩割还。其官屯熟田[27]，如同州有贫下欠地之户，自办功力能营种者，准数给付，余地且依前官取。师度以功加金紫光禄大夫，赐帛三百匹。”《册府元龟》本传：“师度既好沟洫，所在必发众穿凿，虽时有不利，而成功亦多。”**读此诏书，然后知“无欲速，无见小利”二言为建功立事之本。**

【注释】

①姜师度(约654—723)：唐朝官吏、水利专家，历任易州刺史、御史中丞、同州刺史、将作大匠等职。其在任之时开凿沟洫以便交通灌溉，在初唐时颇有政绩。

②同州：地名，在今陕西大荔。

③史起：生卒年不详，战国时期魏国人。魏襄王时为邺令，西门豹时引彰水灌溉，渠年久失修，史起到任后，重修西门渠，引彰水灌溉田地，使农业生产得以发展，邺地百姓称他为“贤令”。漳：漳水，河名，源出山西，流至河北入卫河。引文见《全唐文》卷二八《褒姜师度诏》。

④郑白：即郑国与白公。郑国，生卒年不详，战国时期韩国的水利专家，自中山西瓠口(今陕西泾阳)开凿水渠引泾水东流，经富平、蒲城入洛水，使关中成为天下粮仓，此渠被称为郑国渠。白公，生卒年不详，西汉时任赵中大夫，时郑国渠已逾百年，白公奏请于郑国渠以南凿渠，引泾水注渭水，灌溉良田四万余顷，该渠因而命为白

渠。泾:即泾水,河名,发源于甘肃。
⑤智:智力,智慧。形:表现。未兆:未显兆之事,未知之事。
⑥匪躬之节:指不顾自身利益而尽忠王室的节操。匪躬,即不顾自身利益。
⑦罄(qìng):本义指器物中空,引申为用尽。
⑧大农:指大司农,官名,掌管劝课农桑、水利仓廪等事。
⑨岁功:指一年的收获。昧(mèi):昏暗,不明。
⑩物议如纷:指议论纷纷。物议,众人的议论,多指非议。
⑪缘:凭借。忠款:忠诚。
⑫九列:指九卿之位。
⑬六条:据汉朝法制,刺史用豪强怙势、侵渔百姓、刑赏猥滥、阿私蔽贤、子弟请托、骫(wěi)法纳赇(qiú)六条来考察官吏。
⑭白藏:即秋天。《尔雅·释天》:"秋为白藏。"郭璞注:"气白而收藏。"
⑮绩用:功用。
⑯食乃人天:即民以食为天。
⑰祁(qí)寒:严寒、酷寒。
⑱原田:原野上的田地。弥(mí)望:一望无际。
⑲繇(yóu)来:自始以来。繇,通"由"。榛(zhēn)棘之所:杂草丛生的地方。
⑳秔(jīng):同"粳",稻的一种。
㉑仓庾(yǔ):储藏粮食的场所。庾,露天的谷仓。京坻(dǐ):稻谷堆积如山,形容丰收。饶:富饶。
㉒关辅:即关中与三辅的合称,相当于今陕西关中地区。
㉓平人:平民百姓。

㉔三农：指平地农、山农、泽农。

㉕注籍：指登记入册。

㉖比来：历来。

㉗熟田：常年耕种的土地。

【译文】

唐代姜师度担任同州刺史，开元八年（720）十月皇帝发布诏令说：“过去史起引漳水灌溉农田之策略，郑国、白公开凿渠引泾水之便利，自此以后，再无听闻。同州刺史姜师度见微知著，未卜先知，不顾自身利益，倾尽所有，奉行公道，尽心竭力，担任大司农。首开沟渠，几年过去不见功效，于是人们议论纷纷。由于他忠诚可嘉，朝廷依旧委任他担当旧职。所以暂时撇开九卿重臣，而用六条来考察官吏。秋季过半，功勋卓著。民以食为天，农为国政根本。朕因而巡察各省，不畏严寒，以申明劝赏体恤之心，特意冒风霜之害。如今田地一望无际，沟渠相连。过去遍地榛棘，现今稻谷满川，仓庾丰饶，关辅富润。经营开发此地，是想造福百姓。由于百姓未曾开辟，又担心农田荒虚，所以官府先为开发，希望相互传教，功成之时，与民共享。原先在屯田之内有百姓登记入册的土地，现在召人做主，量准亩数原数割还。官府所屯的熟田，如同州有贫困无地的农户，则根据他们耕种的能力，准数给予土地，其余土地仍旧归官府所有。师度因功加金紫光禄大夫，赐帛三百匹。”（《册府元龟》本传：“师度爱好水利，所到之处必定发动百姓开凿水渠，虽然有时没有用处，但成功的不乏少数。”）读了这封诏书，才知道“不要求立马见效，不要只见眼前小利”这两句话，是建功立业的根本。

【原文】

孙叔敖决期思之水[①]，而灌雩娄之野[②]，庄知其可以为令尹也[③]。魏襄王[④]与群臣饮酒，王为群臣祝[⑤]，曰："令吾臣皆如西门豹[⑥]之为人臣也。"文侯时，西门豹为邺[⑦]令。史起进曰："魏氏之行田也以百亩[⑧]，邺独二百亩，是田恶也。漳水在其旁，西门豹不知用[⑨]，是不智也。知而不兴，是不仁也。仁智，豹未之尽，何足法也。"于是以史起为邺令，"引漳水溉邺，以富魏之河内"[⑩]。《史记》。《后汉书·安帝纪》："元初二年正月，修理西门豹所分漳水为支渠，以溉民田。"则指此为西门豹所开。为人君者，有率作兴事之勤，有授方任能之略，不患无叔敖、史起之臣矣。

《汉书》：召信臣[⑪]为南阳太守，"为民作水约束[⑫]，刻石立于田畔，以防纷争。"此今日分水之制所自始也。

洪武末，遣国子生[⑬]人才分诣天下郡县，集吏民，乘农隙修治水利。二十八年，奏开天下郡县塘堰[⑭]人凡四万九百八十七处，河四千一百六十二处，陂渠堤岸五千四十八处。此圣祖勤民之效。

【注释】

①孙叔敖(约前630—前539)：芳氏，名敖，字孙叔，春秋时期楚国名相，对水利兵法均有极大贡献，被后世称为第一"循吏"，即奉公守法、清正廉洁的官吏。期思之水：即今史河、史灌河流域。期思，地名，在今河南淮滨县南。

②雩(yú)娄：今河南商城东北部、固始南部，安徽霍邱部分地区。

③庄：指楚庄王。令尹：官名，春秋时楚国的执政官，相当于宰相。

④魏襄王(? —前296年):名嗣,战国时期魏国国君,于公元前318至前296年在位。

⑤为:向。祝:祝酒。

⑥西门豹:生卒年不详,战国时期魏国人。魏文侯时任邺令,奖励农耕,兴修水利,辟河伯娶妻的巫术,立下赫赫功勋。战国时期著名的政治家、水利专家。

⑦邺:战国时期魏国地名,在今河北临漳西南邺镇。

⑧魏氏之行田也以百亩:魏国赋田法,一夫授田百亩。行田,授田,赋田。

⑨漳水在其旁,西门豹不知用:史起之言与史书所记载的不符。《史记·河渠书》:"西门豹引彰水灌邺。"《史记·滑稽列传》:"西门豹即发民凿十二渠,引河水灌民田。"顾炎武原注用《后汉书·安帝纪》为之辩驳。此处典故出自《汉书·沟洫志》,但班固撰《汉书》时,此部分几乎全部采自《吕氏春秋》,而《吕氏春秋》为魏国敌国之书,对魏国史实的记载很有可能存在偏颇失实之处。

⑩引漳水溉邺,以富魏之河内:出自《史记·河渠书》。但《史记》记载引彰水溉邺之人并非史起,而为西门豹。河内,战国时期黄河以北地区。

⑪召信臣:字翁卿,生卒年不详,汉初以明经甲科,累迁南阳太守。常为百姓谋福利,百姓称之为"召父"。引文见《汉书》卷八九《召信臣列传》。

⑫作水约束:制定汾水的规章。约束,规章,规定。

⑬国子生:指在国子监肄业的学生,一般为官员子弟,明清时又称"贡生""监生"。

⑭塘堰:即塘坝,山区或丘陵地区修建的一种小型蓄积雨水和泉水的

工程,用来灌溉农田。

【译文】

孙叔敖引期思之水,浇灌雩娄的田地,楚庄王就知道他能担任楚国的宰相。魏襄王与群臣饮酒,襄王向群臣祝酒,说:“让我的臣子都像西门豹那样。”(魏文侯时,西门豹担任邺地县令。)史起说:“魏国分配给人们的土地,一夫一百亩,邺地偏偏给两百亩,说明那里的土地不好。彰水就在邺地附近,而西门豹不知道利用,这是不明智的。如果知道而不加以利用,便是不仁义的。仁和智,西门豹都没能做到,有什么值得效法呢!”于是任用史起担任邺地县令,引漳水灌溉邺地田地,以使魏国河内地区富裕起来。(此记载出自《史记》。《后汉书·安帝纪》:“元初二年(115)正月,修理西门豹分彰水开凿的沟渠分支,用来灌溉民田。”那么这就说明引彰水的沟渠是西门豹开凿的。)担任国君,能励精图治,任用贤能,就不用担心没有孙叔敖、史起之类的臣子了。

《汉书》载:召信臣担任南阳太守,“为百姓制定分水的规定,刻在石头上,将其立在田畔,来防止百姓纷争。”这是今天分水之制的源头。

洪武末年,朝廷派遣国子生等人才分别到天下各郡县,召集吏卒百姓,乘农闲时兴修水利。二十八年(1395),奏开凿天下郡县塘坝总共四万零九百八十七处,河流四千一百六十二处,陂渠堤岸五千零四十八处。这是圣祖尽心于民事所取得的成效。

【题解】

《周末风俗》选自《日知录》卷十三。顾炎武开篇指出，自《左传》记载的最后年份至六国相继称王的一百三十三年间，史书并无记载，但也就在这一百三十三年之间，天下风俗发生了颠覆性的变化。比如春秋时期还尊礼重信，而七国就绝不讲礼和信了；春秋时期仍旧尊崇周王，但七国就绝对不称周王了……这其实是中国从奴隶社会到封建社会的一大变革。顾炎武是首先发现这个转变的人，但他不知道这其实是社会性质的转变，反而觉得这种变革是社会的倒退，因此他推崇风俗恢复到汉代，认为后世也就属宋代庆历、元祐年间为最佳。

周末风俗

【原文】

《春秋》终于敬王三十九年庚申之岁[①]，西狩获麟[②]。又十四年，为贞定王[③]元年癸酉之岁，鲁哀公出奔[④]；二年，卒于有山氏[⑤]。《左传》以是终焉。又六十五年，威烈王[⑥]二十三年戊寅之岁，初命晋大夫魏斯、赵籍、韩虔为诸侯[⑦]。又一十七年，安王[⑧]十六年乙未之岁，初命齐大夫田和为诸侯[⑨]。又五十二年，显王[⑩]三十五年丁亥之岁，六国[⑪]以次称王，苏秦为从长[⑫]。自此之后，事乃可得而纪。自《左传》之终以至此，凡一百三十三年，史文阙轶，考古者为之茫昧。如春秋时犹尊礼重信，而七国则绝不言礼与信矣。春秋时犹宗[⑬]周王，而七国则绝不言王

矣。春秋时犹严祭祀，重聘享[14]，而七国则无其事矣。春秋时犹论宗姓氏族[15]，而七国则无一言及之矣。春秋时犹宴会赋诗，而七国则不闻矣。春秋时犹有赴告策书[16]，而七国则无有矣。邦无定交，士无定主，此皆变于一百三十三年之间。史之阙文，而后人可以意推者也。不待始皇之并天下，而文武之道尽矣。李康《运命论》[17]云："文薄[18]之弊，渐于灵景[19]，辨诈之伪，成于七国。"**驯[20]至西汉，此风未改，故刘向[21]谓其"承千岁之衰周，继暴秦之余弊"，"贪饕险诐[22]，不闲[23]义理"。观夫史之所录，无非功名势利之人，笔札喉舌之辈[24]，而如董生[25]之言"正谊明道"[26]者，不一二见也。盖自春秋之后，至东京[27]而其风俗稍复乎古，吾是以知光武、明、章[28]果有变齐至鲁[29]之功，而惜其未纯乎道也。自斯以降，则宋庆历、元祐[30]之间为优矣。嗟乎，论世而不考其风俗，无以明人主之功。余之所以斥周末而进东京，亦《春秋》之意也。**

【注释】

①《春秋》：这里指《春秋经》，中国古代儒家典籍"六经"之一，为鲁国的编年史，由孔子编订。敬王：指周敬王，姓姬，名匄，公元前519至前476年在位。

②西狩获麟：《春秋经》的最后一句话，鲁哀公在西方打猎，捕获了一只麒麟。据说麒麟为瑞兽，在太平盛世才出现，而彼时并非太平盛世。麒麟出现了而又被捕获，孔子伤周道不兴，感慨瑞兽出而时代不应，绝笔于此。这即"绝笔于获麟"的故事。

③贞定王(？—前441)：姓姬，名介，周敬王的嫡孙，在位二十八年。

④鲁哀公(? —前 468):姓姬,名将,一作蒋,鲁国国君。出奔:出走,逃亡。前 468 年,鲁桓公后代"三桓",即公卿孟孙、叔孙、季孙势力日盛,鲁哀公请越国讨伐"三桓",遭到反击,哀公出逃。

⑤有山氏:鲁国贵族。

⑥威烈王(? —前 402):姓姬,名午,周考王之子,在位期间分别赐晋国大夫魏斯、赵籍、韩虔成立诸侯国,即魏、赵、韩三国,史称"三国分晋"。

⑦魏斯(? —前 396):谥文侯。赵籍(? —前 400):谥烈侯。韩虔(? —前 400):谥景侯。

⑧安王(? —前 376):名骄,威烈王之子,前 402 至前 376 年在位。

⑨田和(? —前 384):即齐国田太公,前 391 年,田和放逐齐康公于海岛,自立为齐国国君。

⑩显王(? —前 321):名扁,烈王之弟,前 368 至前 321 年在位。

⑪六国:齐、秦、燕、赵、韩、魏六国。

⑫苏秦(? —前 284):字季子,战国时期著名的纵横家,师从鬼谷子。从:通"纵",南北为纵,东西为横,宿迁曾合纵魏、赵、韩等国抵抗秦国,故称纵长。

⑬宗:崇尚,尊崇。

⑭聘享:聘问及献纳。诸侯之间的友好访问称为聘;诸侯向天子进献珍品等称为享。

⑮宗姓氏族:同一始祖为同宗,同一始祖母的为同姓,氏是同姓中分出的,族则有包括父族、母族、妻族在内的九族之说。

⑯赴告:春秋时期以崩薨及福祸之事相告,前者称"赴",后者称"告"。策书:记录大事之书,杜预《春秋序》:"大事书于策,小事简牍而已。"

⑰李康(约 196—约 265):字萧远,三国时期魏国文学家。《运命论》:李康所作,意在探讨国家治乱与士人个人命运之关系。

⑱文薄：文教淡薄。文，指文教，礼节仪式。

⑲渐：加重。灵景：即周灵王和周景王。

⑳驯：渐渐。

㉑刘向（约前77—前6）：原名更生，字子政，西汉著名经学家、目录学家、文学家。

㉒贪饕（tāo）：贪得无厌。险诐（bì）：邪恶不正。

㉓闲：通“娴”，熟悉。

㉔笔札喉舌之辈：指会写文章或能言善辩的人。

㉕董生：董仲舒（前179—前104），精通经术，提倡“罢黜百家，独尊儒术”，为汉武帝所采纳，西汉时期思想家、哲学家、政治家。

㉖正谊明道：原句为“夫仁人者，正其谊不谋其利，明其道不计其功”。见《汉书·董仲舒传》。意思是只重道义不计功利。谊，通“义”。

㉗东京：东汉建都洛阳，而洛阳在长安之东，故称东京，后用来代指东汉。

㉘光武：汉光武帝刘秀（前5—公元57），字文叔，东汉开国皇帝。明：汉明帝刘庄（28—75），初名刘阳，字子丽，光武帝第四子。章：汉章帝刘炟（57—88），汉明帝刘庄第五子，东汉第三位皇帝。

㉙变齐至鲁：《论语·雍也》：“齐一变至于鲁，鲁一变至于道”，意思是齐国进行变革，便能成为鲁国一样的国家，鲁国进行变革，便能接近先王的大道了。言外之意即风俗得以改善。

㉚庆历：宋仁宗赵祯的年号，始于1041年，止于1048年。元祐：宋哲宗赵煦的第一个年号，始于1086年，止于1094年。

【译文】

《春秋》的记载终止于周敬王三十九年（前481），这年鲁哀公在西方狩猎捕获麒麟。过了十四年，是周贞定王元年（前468），鲁哀公出逃；贞定王二年（前467），哀公死在有山氏。《左传》的记载到这里结束。再过六十五年，周威烈王二十三年（前403），开始任命晋大夫魏斯、赵籍、韩虔为诸侯。又过了十七年，周安王十六年（前386），任命齐大夫田和为诸侯。再过五十二年，是周显王三十五年（前334），六国相继称王，苏秦合纵六国。自此以后，史事才得以被记载。自《左传》结束到这里共一百三十三年。史书缺失，考古者为此感到迷茫。如果说春秋时期还尊礼重信，那么七国就绝不讲礼和信了。春秋时期仍旧尊崇周王，而七国就绝对不称周王了。春秋时期还严于祭祀、重视聘享，七国则没有这些事了。春秋时期还论宗姓氏族，七国则没有一句话提及了。春秋时仍旧举行宴会赋诗，而七国就不曾听闻了。春秋时期还有赴告策书，而七国已经没有了。国家之间没有固定的交往，士子没有固定的主子，这些变化都发生在这一百三十三年之间。史书记载缺失，而后人可以用想象推测出来。不用等待秦始皇统一天下，文武之道已经消失了。（李康《运命论》说："文教薄弱的弊病在周灵王和周景王时加重了，狡辩诡诈的虚伪形成于七国。"）渐至西汉，这种风气也没有改变，所以刘向说汉朝"承接衰落的周朝，继续残暴的秦朝留下的残风败俗"，"贪得无厌，邪谄不正，不明义理"。翻看史书所记载的，无非是那些追求功名、势利之人，以及善写文章、能言善辩之辈，而像董仲舒所说的"正谊明道"的人，能见到的不过一二。大概自春秋以后，一直到东汉，风俗才稍微恢复到古时。我因此知道光武帝、明帝、章帝果然有变齐为鲁的功劳，但是可惜他们也未能纯道。自此之后，也就属宋代庆历、元祐年间是最好的了。唉！论时代而不考察风俗，就不能清楚君主的功绩。我之所以贬斥周末而推崇东汉，也是孔子作《春秋》的意思啊！

【题解】

《两汉风俗》选自《日知录》卷十三。顾炎武在《周末风俗》中说他贬斥周末风俗而推崇东汉风俗，此条虽名为“两汉风俗”，实则重点在探讨东汉风俗。在顾炎武看来，东汉光武帝借鉴汉武帝的统治策略，尊崇节义，敦厉名实，所任用的都是经明行修的人才，所以风俗为之一变。虽然至汉桓、灵帝时朝纲日益衰颓、动乱迭起，但在仁人君子的努力下，“权强之臣息其窥盗之谋，豪俊之夫屈于鄙生之议”，终使朝政“倾而未颓，决而未溃”。东汉士族对家风的整顿，也使得东汉一代人才虽不如西汉卓越，但士风家法则似乎超越了西汉。简而言之，顾炎武推崇的风俗是崇经术、尚节义。

两汉风俗

【原文】

汉自孝武表章六经之后[1]，师儒虽盛，而大义未明，故新莽居摄[2]，颂德献符[3]者遍于天下。光武有鉴于此，故尊崇节义[4]，敦厉名实[5]，所举用者，莫非经明行修[6]之人，而风俗为之一变。至其末造，朝政昏浊，国事日非，而党锢[7]之流、独行之辈[8]，依仁蹈义[9]，舍命不渝，“风雨如晦，鸡鸣不已”[10]，三代[11]以下风俗之美，无尚于东京者。故范晔[12]之论，以为“桓、灵[13]之间，君道秕僻[14]，朝纲日陵[15]，国隙屡启[16]，自中智[17]以下，靡不审其崩离。而权强之臣息其窥盗之谋[18]，豪俊之夫屈于鄙生之议[19]”。《儒林传》论。**“所以倾而未颓，决而未溃，皆仁人君子心力之**

为”。《左雄传》论。**可谓知言[20]者矣。使后代之主循而弗革，即流风至今，亦何不可！而孟德既有冀州[21]，崇奖跅驰之士[22]。观其下令再三，至于求负污辱之名、见笑之行、不仁不孝而有治国用兵之术者，**建安二十二年八月令，十五年春令，十九年十二月令，意皆同。**于是权诈迭进，奸逆萌生。故董昭太和之疏[23]，已谓“当今年少，不复以学问为本，专更以交游为业；国士不以孝悌清修[24]为首，乃以趋势求利为先”。至正始[25]之际，而一二浮诞之徒，骋[26]其智识，蔑周、孔之书，习老、庄之教，风俗又为之一变。夫以经术之治，节义之防，光武、明、章数世为之而未足；毁方败常之俗[27]，孟德一人变之而有余。后之人君将树之风声[28]，纳之轨物[29]，以善俗而作人[30]，不可不察乎此矣。**

【注释】

①孝武：即汉武帝刘彻。表章：显扬、表扬。六经：即《诗》《书》《礼》《乐》《易》《春秋》六部儒家经典，今《乐》已失传。

②新莽：王莽篡位汉朝自立为王，国号新，建都长安，史称新莽。居摄：臣下暂时摄行天子职权。

③符：符命，上天预示帝王受命的符兆。

④节义：操守与正义。

⑤敦厉：亦作“敦励”。劝勉，勉励。名实：名声与事功。

⑥经明行修：经学深湛，品行端正。

⑦党锢：禁止诽谤宦官的党人出任官职，并限制其与人交往，禁锢终身。东汉时发生过两次党锢事件，桓帝时世家大族李膺等联合太学生抨击宦官，遭逮捕，后虽被释放，但终生不得做官，牵连两百余

人。灵帝时，外戚窦武专政，重新起用李膺等党人，谋诛宦官，遭泄露，李膺等及其门人故生、父子兄弟或被杀，或被免官禁锢，并连及五族，这是第二次党锢。

⑧独行之辈：志节高尚而不随波逐流之人。《后汉书》有《独行传》。

⑨依仁蹈义：躬行仁义之道。

⑩“风雨如晦，鸡鸣不已”句：语出《诗经·郑风·风雨》。意思是风雨交加，天色昏暗，但鸡依旧不停地鸣叫，比喻社会黑暗但君子不改义节。

⑪三代：指夏、商、周三朝。

⑫范晔(398—445)：字蔚宗，南朝宋史学家、文学家，撰《后汉书》。

⑬桓：汉桓帝刘志(132—167)，字意，东汉第十位皇帝，147 年至 167 年在位。灵：汉灵帝刘宏(157—189)，汉桓帝逝世，刘宏被外戚窦氏挑选为继承人，168 年即位，标价卖官，荒淫无度。

⑭秕(bǐ)：不饱满的籽实，引申为败坏。僻：邪僻。

⑮陵：衰颓、废弛。

⑯隙：间隙，引申为动乱。

⑰中智：具有中等才智的人。

⑱权强之臣息其窥盗之谋：指当时阎忠奉劝皇甫嵩推翻汉朝自立为王，但皇甫嵩不予理睬。

⑲豪俊之夫屈于鄙生之议：指董卓欲起兵，郑泰劝阻，董卓听从了其建议。鄙生，谦辞，指经生。

⑳知言：指了解真意的言论。

㉑孟德：曹操(155—220)，字孟德，小字阿瞒，三国时期魏国政权的缔造者。其子曹丕称帝后，追尊曹操为魏武帝。冀州：地名，在今河北临漳西南。

㉒跅(tuò)驰:行为放荡不羁。

㉓董昭(156—236):字公仁,曹魏初期的谋士、大臣,与程昱、郭嘉等人并称为“才策谋略,世之奇士”。太和:三国时期魏明帝曹叡(ruì)的第一个年号,始于227年,止于232年。疏:此处即董昭的《请禁浮华党友疏》。

㉔清修:淡泊清廉。

㉕正始:三国时期魏齐王曹芳年号,始于240年,止于249年,共计十年。

㉖骋:尽情展开,恣意发挥。

㉗方:这里指规矩。常:伦常。

㉘树之风声:建立好的教化,宣扬好的风气。树,建立。风,教化。声,声教。

㉙纳之轨物:《左传·隐公五年》有“纳民于轨物”,意思是将百姓纳入法度准则。

㉚善俗:良好的风俗。作人:培育人才。

【译文】

汉代自从孝武帝表彰六经之后,师儒虽多,但大义并未明晰,所以王莽摄政时,歌功颂德、进献瑞符的人遍布天下。光武帝汲取经验教训,所以尊崇节义,敦厉名实,所选用的人没有不是通晓经学、行为端正的,因而风俗为之变化。到了光武帝末期,朝政昏暗浊乱,国事一天坏过一天,而党锢之流,独行之辈,躬行仁义之道,至死不渝,“风雨交加,天色昏暗,鸡仍不停止鸣叫”,三代之后风俗之美没有超过东汉的了。所以范晔认为“桓帝、灵帝之间,君道败坏,朝纲日益衰颓,动乱迭起,自中等才智以下之人,没有不了解它将要分崩离析的。但权势强盛的臣子打消了盗夺国家皇权的念头，豪爽俊杰的猛夫听从了清贫经生的建议”。（以上出自《儒林传》论。）“因而政权虽然倾斜却未倒坏，堤岸虽然决口却未溃散，这都是仁人君子尽心尽力的结果”。（以上出自《左雄传》论。）这可以说是知言了。假使后代君主沿袭而不加以变革，即便遗风流传至今，也不是不可能！然而曹操既然占据了冀州，却推崇奖励行为放荡的人。看他再三下令，以寻求那些背负污名、有可笑的行为、不仁不孝但有治国用兵策略的人。（建安二十二年[217]八月颁布的命令，十五年[210]春令，十九年[214]十二月令，意思都一样。）于是权变欺诈更迭并进，奸佞悖逆层出不穷。所以董昭太和年间奏疏，就已经说“当今少年，不再把做学问当作根本，而专以交游为事业；选拔国士不以孝悌清廉的君子为首，而以趋炎附势、图谋私利的人为先”。到正始年间，一二浮夸之徒，恣意发挥他们的才智见识，蔑视周公、孔子之书，诵习老子、庄子的教诲，风俗又为之一变。以经术治国，用节义设防，光武帝、章帝、明帝几代为之努力，最终都没有成功，毁坏规矩、败坏伦常，曹孟德一个人改革还有余。后世君主要树立风俗教化，将百姓纳入法度，用好的风俗来培育人才，不能不重视这些。

【原文】

光武躬行俭约，以化臣下。讲论经义，常至夜分。一时功臣如邓禹①，有子十三人，各使守一艺，闺门②修整，可为世法；贵戚如樊重③，“三世共财，子孙朝夕礼敬，常若公家④”。以故东汉之世，虽人才之倜傥⑤不及西京，而士风家法似有过于前代。

东京之末，节义衰而文章盛，自蔡邕⑥始。其仕董

卓[7]，无守；卓死惊叹，无识。观其集中滥作碑颂，则平日之为人可知矣。宋袁淑[8]《吊古文》："伯喈衔文而求入。"**以其文采富而交游多，故后人为立佳传。嗟乎，士君子处衰季[9]之朝，常以负一世之名，而转移天下之风气者，视伯喈之为人，其戒之哉！**

【注释】

①邓禹（2—58）：字仲华，东汉开国名将，位列"云台二十八将"之首。

②闺门：内室之门，引申为家庭之门。

③樊重：生卒年不详，字君云，重性温厚，有法度，为光武帝刘秀的外祖父。引文见《后汉书》卷三二《樊宏传》。

④公家：政府。

⑤倜傥：卓越豪迈，洒脱不受约束的样子。

⑥蔡邕（132—192）：字伯喈，通经史、术数、天文，精于辞章、音律、书画，东汉著名的文学家、书法家、音乐家。汉献帝时权臣董卓当政，拜蔡邕为左中郎将，故后人也称他"蔡中郎"。后董卓被杀，蔡邕听闻后感慨万分，因而被下狱，死在狱中。

⑦董卓（？—192）：字仲颖，汉灵帝时拜前将军。帝崩，率军进京，掌控朝中大权，废少帝，立献帝，诛杀何太后，残暴凶狠，睚眦必报，后被王允设计由吕布所杀。

⑧袁淑（408—453）：字阳源，博涉多通，有辩才，南朝时期宋国人。

⑨季：兄弟排行中次序最小的，此处指朝代末年。

【译文】

光武帝亲自力行节俭，并以此感化臣下。他讲经论义，常常到半夜。功臣中如邓禹，他有十三个儿子，每个人都专习一门技艺，家风严整，被世人尊为典范；贵戚中如樊重，“三代共用财产，子孙早晚遵礼崇敬，像在公家一般”。所以东汉一代，虽然人才比不上西汉卓越，但士风家法似乎超过了前代。

东汉末年，节义衰败而文章繁盛，这种情形始于蔡邕。蔡邕拜官于董卓帐下，是没有操守；董卓死后他惊叹不已，是没有见识。看他文集里都是些滥作的碑文颂文，那他平日里的为人就可以知道了。（宋袁淑《吊古文》：“伯喈衔带着文章而求得官职。”）因为他文采卓越且交游多，所以后人为他立了佳传。哎！士君子处于朝代末世，常常因背负一世之名而转变了天下风气，看看伯喈的为人，应当引以为戒啊！

【题解】

《正始》选自《日知录》卷十三。顾炎武在此条中猛烈抨击正始之风，认为魏少帝正始年间，士人放弃儒家经典而崇尚老子、庄子，蔑视礼法而崇尚放达，视他们主公陷入颠困艰危之境却如同路人一般。然而后人对正始之风企慕到了无以复加的地步，动辄以“有正始之风”来评介人物。在顾炎武看来，以竹林七贤为主导的正始之风是“国家灭亡于上，儒教沦丧于下。羌胡接替僭越，君臣屡次更变”的罪魁祸首。在此基础上，顾炎武提出“亡国”与“亡天下”之分，认为易姓改号叫作亡国，仁义被阻塞以至于人吃人，叫作亡天下。保有国家，是为君为臣的统治者所要谋划的；保有天下，即使是地位低贱的普通百姓都有责任。顾炎武对正始之风、竹林七贤的指摘不免有偏颇，但他提出“天下兴亡，匹夫有责”的言论，振聋发聩！

正　始

【原文】

魏明帝殂①，少帝②史称齐王即位，改元正始③，凡九年。其十年，则太傅司马懿杀大将军曹爽④，而魏之大权移矣。三国鼎立，至此垂三十年，一时名士风流，盛于洛下⑤。乃其弃经典而尚老、庄，蔑礼法而崇放达，视其主之颠危若路人然，即此诸贤为之倡也。自此以后，竞相祖述⑥。如《晋书》言王敦见卫玠⑦，谓长史谢鲲⑧曰：“不意永嘉⑨之末，复闻正始之音。”沙门支遁以清谈著名于时⑩，莫不崇敬，以为“造微⑪之功，足参诸正始”。《宋书》

言羊玄保二子[12]，太祖[13]赐名曰咸、曰粲，谓玄保曰："欲令卿二子有林下正始余风[14]。"王微与何偃书曰[15]："卿少陶玄风[16]，淹雅修畅[17]，自是正始中人。"《南齐书》言袁粲言于帝曰[18]："臣观张绪[19]有正始遗风。"《南史》言何尚之谓王球"正始之风尚在"[20]。其为后人企慕如此。然而《晋书·儒林传》序云："摈阙里之典经[21]，习正始之余论，指礼法为流俗，目纵诞以清高。"此则虚名虽被[22]于时流，笃论未忘乎学者。是以讲明六艺，郑玄、王肃**为集汉之终[23]；演说老、庄，王**弼、何晏**为开晋之始[24]。**干宝[25]《晋纪》论曰："风俗淫僻[26]，耻尚失所。学者以庄老为宗而黜六经，读者以虚薄为辩而贱名检[27]，行身者以放浊为通而狭节信[28]，进仕者以苟得为贵而鄙居正[29]，当官者以望空为高而笑勤恪[30]。"**以至国亡于上，教沦于下。羌胡互僭[31]，君臣屡易，非林下诸贤之咎而谁咎哉！**

【注释】

①魏明帝：曹叡（206—239），字元仲，曹丕之子，三国时魏国第二任皇帝。殂（cú）：死亡，逝世。

②少帝：曹芳（232—274），曹叡的养子，三国时曹魏第三位皇帝，239年至254年在位。

③正始：魏少帝曹芳年号，始于240年，止于249年。

④司马懿（179—251）：字仲达，三国时期魏国人，曾任大都督、大将军、太傅等职，后掌握魏国朝政。其子司马炎称帝后，追尊司马懿为宣皇帝。曹爽（？—249）：字昭伯，大司马曹真之子，曹操族孙，明帝崩，托孤于曹爽与司马懿，封武安侯，后司马懿发动政变，曹爽

被诛。

⑤洛下:即魏都洛阳。

⑥祖述:效法、遵循。

⑦《晋书》:唐房玄龄、褚遂良、许敬宗等修撰,记载三国时期司马懿早期至东晋恭帝元熙二年(420)之间的历史,二十四史之一。王敦(266—324):字处仲,东晋丞相王导堂兄,为东晋权臣,曾发动叛乱。卫玠(jiè)(286—312):字叔宝,小字虎,古代四大美男之一,是魏晋之际继何晏、王弼之后的清谈名士和玄学家。

⑧长史:官名。秦朝始置,汉以后王府、将军府、丞相府及州郡均置长史,府中众官之首。谢鲲(280—323):字幼舆,魏晋之际玄学家。

⑨永嘉:西晋晋怀帝司马炽的年号,始于307年,止于312年。引文见《晋书》卷三六《卫玠传》。

⑩沙门:佛家出家人。支遁(314—366):本姓关,字道林,东晋时人,世称支公、林公。清谈:魏晋时期知识分子的哲学谈论,以老庄思想为主要内容,不涉及任何现实事情,也称玄谈。

⑪造微:指达到精妙的地步。引文见《晋书》卷六七《郗超传》。

⑫《宋书》:梁沈约撰,记述南朝刘宋一代历史,二十四史之一。羊玄保(370—463):南朝宋著名棋手。

⑬太祖:指宋文帝刘义隆(407—453),南朝刘宋第三位皇帝,庙号“太祖”。

⑭林下正始余风:正始年间,嵇康、阮籍、山涛、向秀、刘伶、王戎及阮咸七人常常集于竹林之下,喝酒、纵歌,肆意酣畅,时称竹林七贤。后人谓放达的人有林下风致。

⑮王微(415—453):字景玄,南朝宋画论家。何偃(413—458):字仲弘,喜谈玄,南朝宋文学家。

⑯少(shào):从小,自小。陶:陶冶。玄风:道家清静无为的思想潮流和玄谈的风气。引文见《宋书》卷六二《王微传》。

⑰淹雅:学识渊博,人品宽宏儒雅。修畅:情操高尚,言行旷达。

⑱《南齐书》:南朝梁萧子显撰,记述南朝萧齐王朝自齐高帝建元元年(479)至齐和帝中兴二年(502)间史事,是现存关于南齐最早的纪传体断代史。袁粲(420—477):字景倩,南朝宋人,曾为宋司徒,齐高帝时,因谋反被杀。帝:宋明帝刘彧(yù)(439 — 472),字休炳,公元465年至472年在位。

⑲张绪:生卒年不详,字思曼,少时颇有名气,风姿清雅,清简寡欲,南朝齐人。

⑳《南史》:唐李延寿撰,记载南朝宋、齐、梁、陈四国一百七十年史事。何尚之(381—460):字彦德,南朝宋文学家,曾在建康南城外立宅讲学,一时四方名士纷纷慕名而来,时谓"南学"。王球(393—441):字倩玉,好文,淡泊清雅,入宋任太子中舍人。

㉑摈:摈弃。阙里:孔子的故居,位于山东曲阜境内,相传孔子在此授徒。

㉒被(pī):覆盖。

㉓郑玄(127—200):字康成,东汉末年儒家学者、经学大师,遍注儒家经典,集汉代经学之大成,世称"郑学"。王肃(195—256):字子雍,善贾逵、马融一派学问,不喜"郑学",亦遍注群经,融会今古,世称"王学"。

㉔王弼(226—249):字辅嗣,其哲学观点的核心是"以无为本",魏晋玄学主要创始人之一。何晏(190—249):字平叔,好老、庄之学,倡导"贵无",与夏侯玄、王弼等倡导玄学,遂开一代风气。

㉕干宝(? —336):字令升,博学多才,两晋之交文学家。著《晋纪》,

时称“良史”。

㉖淫僻：放纵邪恶。

㉗虚薄：空虚浅薄，不笃实。贱名检：看不起名教法度。

㉘放浊：狂放不拘礼。通：通达。节信：气节信义。

㉙苟得：不当得而得。居正：言行合于正道。

㉚望空：魏晋时期称为官之人只在文牍空白处签署，不问是非详略为望空。笑勤恪：讥笑那些勤恳谨慎的人。

㉛羌胡互僭(jiàn)：一作羌戎互僭，黄汝成《日知录集释》本据《校记》改。羌胡，本指我国古代的羌族和匈奴族，也用来泛指古代西北部的少数民族。僭：指超越本分行事。

【译文】

魏明帝逝世，少帝即位，改年号为正始，共九年。少帝在位第十年，太傅司马懿杀死大将军曹爽，魏国的政权从此被转移了。三国鼎立，到此已经三十年了，一时间名士风流，聚集在洛阳。而他们放弃儒家经典而崇尚老子、庄子之学，蔑视礼法而崇尚放达，视他们主公陷入颠困艰危之境如同路人一般，这就是诸贤所倡导的。自此以后，人们争相效仿。《晋书》中记载，王敦见了王玠，对长史谢鲲说：“想不到永嘉末年，还能听到正始年间的高论。”沙门支遁以清谈在当时很著名，士子们没有不崇敬他的，认为他“学问精妙，可以与正始人物相比”。《宋书》说羊玄保的两个儿子，太祖文皇帝分别赐名咸跟粲，并对玄保说：“想让你的两个儿子都有林下正始的余风。”王微写给何偃的书信说：“你从小陶冶在玄风之中，渊博高雅，诚然是正始名士一类的人物。”《南齐书》中袁粲对宋明帝说：“我看张绪有正始遗风。”《南史》中何尚之评价王球“仍旧保有正始之风”。正始之风为后人企慕到了如此地步。然而《晋书·儒林传》序说："摒弃儒学经典，学习正始余论，把礼法指为流俗，将放诞看成清高。"这就是虽然时尚潮流被冠以虚名，但真正的学者却总能给出恰当的评论。所以讲明六艺，郑（玄）、王（肃）集汉代之大成；演绎老子、庄子，王（弼）、何（晏）为晋国学问之开端。（干宝《晋纪》的总论说："风俗放纵邪恶，所耻非耻，所尚非尚。治学的人崇尚老庄而抛弃六经，清谈之士论辩空虚浅薄而视名教法度为轻贱，立身行事的人把放纵不拘看作通达而把气节信义抛之脑后，想做官的人珍视不该得到的而鄙视坚守正道的人，当官的看重望空而嘲笑勤恳谨慎的人。"）如此一来，国家灭亡于上，儒教沦丧于下。羌胡接替僭越，君臣屡次更变，这不是林下诸多贤士的罪过又是谁的罪过呢！

【原文】

有亡国，有亡天下。亡国与亡天下奚辨？曰：易姓改号，谓之亡国；仁义充塞[①]，而至于率兽食人[②]，人将相食，谓之亡天下。魏晋人之清谈，何以亡天下？是《孟子》所谓杨、墨之言，至于使天下无父无君而入于禽兽者也。[③]昔者嵇绍之父康被杀于晋文王[④]，至武帝革命之时[⑤]，而山涛[⑥]荐之入仕。绍时屏居私门[⑦]，欲辞不就。涛谓之曰："为君思之久矣，天地四时犹有消息[⑧]，而况于人乎？"一时传诵，以为名言，而不知其败义伤教，至于率天下而无父者也。夫绍之于晋，非其君也，忘其父而事其非君，当其未死三十余年之间，为无父之人亦已久矣，而荡阴之死[⑨]，何足以赎其罪乎！且其入仕之初，岂知必有乘舆败绩之事[⑩]，而可树其忠名以盖于晚也？自正始以来，而大

义之不明，遍于天下，如山涛者既为邪说之魁[11]，遂使嵇绍之贤，且犯天下之不韪[12]而不顾。夫邪正之说，不容两立，使谓绍为忠，则必谓王裒[13]为不忠而后可也。何怪其相率臣于刘聪、石勒[14]，观其故主青衣行酒[15]而不以动其心者乎？是故知保天下，然后知保其国。保国者，其君其臣肉食者[16]谋之；保天下者，匹夫之贱与有责焉耳矣。

【注释】

①充塞：闭塞、阻绝。

②率兽食人：原指驱使野兽吃人，后比喻统治者暴虐，残害百姓。

③“是《孟子》所谓杨、墨之言”二句：《孟子·滕文公下》：“天下之言，不归杨，则归墨。杨氏为我，是无君也；墨氏兼爱，是无父也。无父无君，是禽兽也。”杨，即杨朱（450—370），字子居，战国初期人，道家杨朱学派的创始人，主张“贵己”“人人不损一毫”。墨，即墨翟（dí），生卒年不详，战国时期墨家学派创始人，主张“兼爱”“非攻”“尚贤”“尚同”。

④嵇绍（253—304）：字延祖，西晋时期文学家。康：嵇康（223—262），字叔夜，博洽多闻，崇尚老庄，“竹林七贤”之一，后为钟会所谗，为司马昭所杀。晋文王：司马昭（211—265），字子上，三国时期曹魏权臣，魏景帝时封晋公，后加封为晋王。

⑤武帝：晋武帝司马炎（236—290），司马昭之子，废魏称帝，建立晋王朝。革命：这里指晋王朝建立。

⑥山涛（205—283）：字巨源，魏晋玄学家，“竹林七贤”之一。其任吏部尚书，每每选用官吏，亲自题写评论，时称“山公启示”。

⑦屏（bǐng）居：隐居。私门：家门。

⑧消息：一消一长，比喻荣枯盛衰。

⑨荡阴之死：晋惠帝时，八王叛乱，嵇绍随同惠帝与成都王司马颖战于荡阴，兵败，百官侍卫都溃散奔逃，唯独嵇绍以身护卫惠帝，后被杀。荡阴：地名，在今河南安阳境内，现名汤阴。

⑩乘（shèng）舆：特指天子和诸侯所乘坐的车子。败绩：指兵败。

⑪魁（kuí）：为首。

⑫不韪（wěi）：过失，不是。

⑬王裒（póu）：字伟元，博学，至孝，其父为司马昭所杀，发誓不向西晋称臣，隐居授书，朝廷多次征召都推辞不去。

⑭刘聪：一名刘载，字玄明，刘渊之子，匈奴族。十六国时期汉国国君，310 至 318 年在位，杀兄夺帝位，后派人攻破洛阳、长安，先后俘虏晋怀帝、晋愍（mǐn）帝。石勒（274—333）：字世龙，羯族，曾被掠卖至山东为奴，后起兵反晋，成为十六国时期后赵建立者，史称后赵明帝。

⑮故主：指怀帝司马炽。青衣行酒：晋怀帝被俘，刘聪为侮辱他，让他穿着地位卑贱的婢仆、差役等穿的青衣依次斟酒。

⑯肉食者：吃肉的人，引申为身居高位，俸禄丰厚的人。

【译文】

有亡国和亡天下之分。亡国和亡天下的区别如何辨别？那就是：易姓改号叫作亡国；仁义被阻塞，以至于率领禽兽吃人，人吃人，叫作亡天下。魏晋人的清谈，为何能使天下灭亡？原因就是《孟子》所说的杨朱、墨翟的学说，使天下人目无父母、目无君上而堕落为禽兽。嵇绍的父亲嵇康为晋文王所杀，到晋武帝建立晋朝时，山涛推荐嵇绍入朝做官。嵇绍当时隐居于家门，想推辞不就任。山涛对他说：

“我为您考虑很久了，天地四时尚且都是更替变化的，何况是人呢？”一时间人们把这话相互传颂，认为是至理名言，却不知道这话败坏仁义、伤害教化，以至于普天之下百姓都目无父母了。嵇绍之于晋王朝，晋朝国君并非他的国君，他忘记了他的父亲被晋文王杀害而去侍奉并非是他的国君的人。在他活在世上的三十多年里，当一个没有父亲的人也已经很久了，然而在荡阴以死效忠又如何能赎回他的罪过呢？况且他入朝做官之初，哪里就知道晋王一定会发生兵败之事，此时再树立其忠臣的形象岂不是已经晚了吗？正始年间以来，大义不明的情况已遍布天下，像山涛这样的人即是邪说的罪魁祸首，于是使得嵇绍这样的贤人，都去冒天下之大不韪而无所顾忌。邪正之说，不允许并行不悖，如果说嵇绍忠心，那么就一定得说王裒不忠才可以。否则如何能责怪那些臣子争相去侍奉刘聪、石勒，而看着他的故主穿着青衣贱服为人行酒而无动于衷呢？所以先知道保有天下，然后才知道保有国家。保有国家，是为君为臣的统治者所要谋划的；保有天下，即使是地位低贱的普通百姓也都有责任。

【题解】

《宋世风俗》选自《日知录》卷十三。宋初崇名节、尚廉耻，有一批贤人志士，提倡政治的言论，将五代陋习消除殆尽，所以靖康之难，奋起勤王的志士到处可见。但王安石变法之际，铲除异己、任用奸佞，使得人人趋利而不知义，导致党祸大兴，国事日益颓废。由此看来，顾炎武将宋代风气的衰败、朝代的衰落归罪于王安石变法。这种说法有一定的偏颇，但顾炎武注意到在王安石变法中，以吕惠卿、邓绾为代表的投机钻营之辈，得到宋神宗、王安石的信任，借用新法而牟取私利。这从侧面指出了变法失败的一个重要因素，即宋神宗、王安石的用人不当。

宋世风俗

【原文】

《宋史》[①]言："士大夫忠义之气，至于五季[②]，变化殆尽。宋之初兴，范质、王溥犹有余憾[③]……艺祖首褒韩通[④]，次表卫融[⑤]，以示意向……真、仁之世[⑥]，田锡[⑦]、王禹偁[⑧]、范仲淹[⑨]、欧阳修[⑩]、唐介[⑪]诸贤，以直言谠论[⑫]倡于朝。于是中外荐绅[⑬]，知以名节为高，廉耻相尚，尽去五季之陋。故靖康之变[⑭]，志士投袂[⑮]，起而勤王[⑯]，临难不屈，所在有之。及宋之亡，忠节相望。"呜呼！观哀、平之可以变而为东京[⑰]，五代之可以变而为宋，则知天下无不可变之风俗也。《剥》"上九"之言"硕果"也，[⑱]阳穷于上，则复生于下矣[⑲]。

【注释】

①《宋史》:元脱脱等奉敕撰,共四百九十六卷,是二十四史中篇幅最为庞大的一部官修史书。引文见《宋史》卷四四六《忠义传》。

②五季:指唐宋之间的后梁、后唐、后晋、后汉、后周五代。

③范质(911—964):字文素,历五代及北宋六朝,五朝为官,两朝为相,博学多闻,有清廉戒奢之名。王溥(pǔ)(922—982):字齐物,后周世宗时与范质共同参知枢密院事,赵匡胤称帝后,王溥与范质降阶受命,拥戴赵匡胤。

④韩通(? —960):五代时后周将领,赵匡胤兵变回军,韩通不屈节而死。

⑤卫融(905—973):字明元,北汉中书侍郎,赵匡胤伐北汉,卫融被捕,大呼死得其所,赵匡胤认为他忠心,将他释放。

⑥真:宋真宗赵恒(968—1022),宋朝第三位皇帝,997 至 1022 年在位。仁:即宋仁宗赵祯(1010—1063),宋真宗第六子,1022 年至 1063 年在位,其间国家安定太平,经济繁荣,史称"仁宗盛治"。

⑦田锡(940—1003):字表圣,原名继冲,官谏议大夫,羡慕魏征为人,直言劝谏,不惧权贵。

⑧王禹偁(954—1001):字元之,为人忠直敢言,屡次被贬官。擅诗文,反对五代浮靡的文风,对北宋初期文风有一定的影响。

⑨范仲淹(989—1052):字希文,谥文正,崇尚节气,倡导"先天下之忧而忧,后天下之乐而乐"。政绩斐然,文学成就突出,北宋著名思想家、政治家、文学家。

⑩欧阳修(1007—1072):字永叔,晚号六一居士,以文章名天下,主张文章"明道""致用",为北宋文坛领袖。

⑪唐介(1010—1069):字子方,北宋人,任殿中侍御史,因弹劾宰相文

彦博被贬，因以正直无私名于天下，士大夫称“真御史”。

⑫谠论：正直的言论。

⑬荐绅：有官位的人、高贵的人。

⑭靖康之变：靖康元年(1126)一月，金军挥师南下，直抵北宋都城开封。尽管宋守军多次击败金军，宋钦宗仍派人求和，同意赔款割地。八月，金军再次南侵，东京城破，宋钦宗亲自递上降表。次年四月，金军俘虏宋徽宗、钦宗二弟及后妃、皇子、宗室贵戚等数千人北去，北宋灭亡，史称“靖康之变”。

⑮投袂(mèi)：甩袖，形容奋发而立即行动。

⑯勤王：臣子发兵救援岌岌可危的君主。

⑰哀：汉哀帝刘欣(前25—前1)，字和，西汉第十三位皇帝，公元前7年至前1年在位。平：汉平帝刘衎(公元前9年—公元6年)，王莽弄权，迎立年仅九岁的刘衎。衎公元前1年至公元6年在位，共五年，后被王莽毒杀。

⑱“《剥》‘上九’”句：《周易·剥卦》：“上九，硕果不食，君子得舆，小人剥庐。”意思是上九，硕大的果实未被食用，君子得到果实，用以造车，而小人剥去屋顶来换果实。

⑲阳穷于上，则复生于下矣：《周易》认为阴阳二气相互作用，使得一切事物都在变化，阳穷尽于上，又会在下方重燃。

【译文】

《宋史》说：“士大夫的忠义节操，到了五代后期，丧失殆尽。宋朝开国之初，范质、王溥尚且抱有遗憾……太祖首先褒奖韩通，随后表彰卫融，以此来表明他的意向……真宗、仁宗之时，田锡、王禹偁、范仲淹、欧阳修、唐介众位贤人，在朝廷提倡正直的言论，于是朝廷内外的士大夫，都以名节为高尚之物，崇尚廉耻，把五代的陋习消除殆尽。所以靖康之变，有志之士一挥衣袖，奋起勤王。面临困难而不屈服的，在哪个地方都有。至宋朝灭亡，忠义之士比比皆是。”哎，看西汉更迭为东汉，五代灭亡变为宋代，就知道天下没有什么是不可以改变的了。《周易·剥卦》“上九”说的“硕果”，是说阳气穷尽于上，就会复燃于下。

【原文】

人君御物之方[①]，莫大乎抑浮止竞[②]。宋自仁宗在位四十余年，虽所用或非其人，而风俗醇厚，好尚端方[③]，论世之士谓之君子道长[④]。及神宗朝，荆公[⑤]秉政，骤奖趋媚之徒，深锄异己之辈。邓绾[⑥]、李定[⑦]、舒亶[⑧]、蹇序辰[⑨]、王子韶[⑩]诸奸，一时擢用，而士大夫有“十钻”之目。钻者，取必入之义。班固《答宾戏》：“商鞅挟三术[⑪]以钻孝公。”《邓绾传》[⑫]：以颂王安石得官，谓其乡人曰：“笑骂从汝好，官须我为之。”**干进[⑬]之流，乘机抵隙[⑭]。驯至绍圣、崇宁[⑮]，而党祸大起，国事日非，膏肓之疾[⑯]遂不可治。后之人但言其农田、水利、青苗、保甲诸法[⑰]为百姓害，而不知其移人心、变士习为朝廷之害。其害于百姓者，可以一旦而更，而其害于朝廷者历数十百年，滔滔之势，一往而不可反[⑱]矣。李愿中[⑲]谓：“自王安石用事[⑳]，陷溺[㉑]人心，至今不自知觉。人趋利而不知义，则主势日孤。”此可谓知言者也。《诗》曰：“毋教猱升木，如涂涂附。”[㉒]夫使庆历之士风一变而为崇宁者，岂非荆公教猱之效哉！**

【注释】

①御物之方:此处指治国之道。

②抑浮止竞:抑制浮华争利。

③好尚端方:崇尚端直方正。

④君子道长:语见《周易·泰卦》:“君子道长,小人道消。”意思是正气增长,邪气便会减弱。

⑤荆公:王安石(1021—1086),字介甫,号半山,神宗时任参知政事,推行新政,封荆国公。王安石又是一位大文学家,自小博览群书,工诗文,“唐宋八大家”之一。

⑥邓绾(1028—1086):字文约,以谄媚王安石得官,神宗谓其奸回。

⑦李定(1028—1087):字资深,少年时跟随王安石读书,支持王安石推行新法,诽谤苏轼,为人所恶。

⑧舒亶(1041—1103):字信道,任御史中丞,全凭喜好议论弹劾人物,百官侧目。

⑨蹇序辰:生卒年不详,字授之。支持王安石变法,排挤司马光一派,累官中书舍人。修国史,导致缙绅之祸,无一人得以逃脱。

⑩王子韶:生卒年不详,字圣美,王安石变法时参与制定新法,熙宁年间,士大夫有“十钻”的说法,而其中的“衙内钻”即指王子韶,指他结交要人子弟,如同刀钻一般锋利。

⑪班固(32—92):字孟坚,父亲班彪为著名的史学家。班固自幼聪慧好学,博览群书,性情谦和,继承父志,在其父《史记后传》的基础上写成《汉书》,为我国古代著名史学家。三术:即王霸、富国、强兵。

⑫《邓绾传》:即《宋史·邓绾传》。

⑬干(gān)进:指谋求为官。

⑭抵隙:指钻空子。

⑮绍圣：宋哲宗的第二个年号，起于1094年，止于1098年。崇宁：宋徽宗第二个年号，起于1102年，止于1106年。这两段时间是北宋党争激烈时期。

⑯膏肓之疾：指严重到难以医治的疾病。

⑰农田……水甲诸法：都是王安石变法的主要内容。

⑱反：通“返”。

⑲李愿中：原文作“李应中”，误。李愿中即李侗（1093—1163），字愿中，南宋学者，时人称延平先生，程颐的二传弟子，朱熹曾游学其门下。引文见《宋史》卷四二八《李侗传》。

⑳用事：执政，当权。

㉑陷溺：淹没。

㉒“毋教猱升木，如涂涂附”句：语出《诗经·小雅·角弓》，意思是不用教猿猴攀爬树木，这跟往泥巴上面涂泥巴一样。猱（náo）：猿猴的一种。涂涂，把泥涂在泥上，第一个“涂”作动词用。

【译文】

人君治国之道，最重要的莫过于抑制浮华竞奢之风。宋朝自仁宗在位四十多年来，虽然选拔的有并非适合的人才，但是风俗醇厚，崇尚端直方正，君子之道增长。到神宗朝，王荆公执政，突然奖赏那些趋利谄媚之人，极力铲除异己。邓绾、李定、舒亶、蹇序辰、王子韶诸位奸人，虽被冠有“十钻”的称号，一时间却被提升重用。（钻，有进入的意思。班固《答宾戏》说：“商鞅用三术来钻营于秦孝公。”《邓绾传》说：邓绾因为歌颂王安石而得官，他对自己的乡亲说：“笑也好，骂也罢，都随你们，官我是必定要当的。”）谋求官位的人，乘机钻营。到了绍圣、崇宁年间，党祸大兴，国事日益颓废，以至于病入膏肓不可医治。后来的人们只晓得说王安石农田、水利、青苗、保甲诸多法律危害百姓，却不知道这变法使人心、士人风气改变而危害朝廷。它对百姓的危害，一早上就可以变更回来，但是它对朝廷的危害则延长至数十百年，滔滔之势，一味往前而不可以挽回。李愿中说："自从王安石执政以来，人心就陷于邪恶，至今人们都不曾发觉。人们都趋奔于利益而不懂得仁义，这样君主的势力就日益孤弱。"这可以说是中肯的言论。《诗经》说："不要教猿猴攀爬树木，这跟往泥上涂泥一样。"要使庆历年间士人风气变成崇宁时期的风气，这难道不是和荆公教猿猴爬树一样的道理吗？

【原文】

《苏轼传》[①]："熙宁初，安石创行新法，轼上书言：'国家之所以存亡者，在道德之浅深，不在乎强与弱；历数[②]之所以长短者，在风俗之厚薄，不在乎富与贫……臣愿陛下务崇道德而厚风俗，不愿陛下急于有功而贪富强……仁祖[③]持法至宽，用人有序，专务掩覆过失，未尝轻改旧章。考其成功，则曰未至[④]。以言乎用兵，则十出而九败；以言乎府库，则仅足而无余。徒以德泽在人，风俗知义，故升遐[⑤]之日，天下归仁。议者见其末年吏多因循，事不振举，乃欲矫之以苛察[⑥]，齐之以智能，招徕新进勇锐之人，以图一切速成之效。未享其利，浇风[⑦]已成。多开骤进之门，使有意外之得。公卿侍从，跬步[⑧]可图，俾常调之人举生非望[⑨]。欲望风俗之厚，岂可得哉！近岁朴拙之人愈少，巧进之士益多，惟陛下哀之救之。'"当时论新法者多矣，未有若此之深切者。根本之言[⑩]，人主所

宜独观而三复也[11]。

【注释】

①《苏轼传》:即《宋史·苏轼传》。

②历数:天道、天运,指星象运行的轨道及周期,古人以此观盛衰兴亡的气数。

③仁祖:即宋仁宗。注见《宋世风俗》。

④未至:指并非尽善尽美。

⑤升遐:指帝王逝世。

⑥苛察:严苛细察。

⑦浇风:浮薄的社会风气。

⑧跬(kuǐ)步:半步。这里指公卿侍从之位很容易得到。

⑨俾(bǐ):使,使得。常调:常规。举生非望:一生无望。

⑩根本之言:指涉及根本、本质的言论。

⑪三复:反复诵读。

【译文】

《宋史·苏轼传》说:“熙宁初年,王安石创行新法。苏轼上书说:‘国家的存或亡,在于道德的深或浅,而不在于国力强或弱。朝代长或短,在于风俗的厚或薄,不在于国家是富还是贫。臣希望陛下务必崇尚道德而使风俗醇厚,不希望陛下急于创建功业而贪图富强。仁宗执法宽大,用人有次序,专求体谅人的过错,未曾轻易改变旧的法规。考察他的功绩,也并非尽善尽美。拿用兵打仗来说,十次出兵九次失败;拿府库来说,仅仅够开支而没有富余。唯独以恩德披泽百姓,以仁义为风俗,所以在他逝世的时候,天下人都归服于他的仁心仁德。议论之人见末年官吏多因循守旧，没有什么壮举，于是想用严苛的考察来纠正，用智慧能力来正度，招徕新进勇锐的人，以求一切速成的效果。还没有收到好的效果，浮薄的风俗却已经养成。开了很多骤然晋升的门径，使人有意外的得益。公卿侍从，只需一小步就可以到达，使得按照常规升迁的官员便没有希望，这样做而想要风俗醇厚，怎么可能呢！近年来质朴的人越来越少，取巧晋升的人越来越多，希望陛下能够哀怜、拯救他们。'"当时议论新法的人很多，但提出的建议没有像苏轼这么深刻切实的。涉及本质的言论，人君应该独自阅览并反复诵读。

【原文】

《东轩笔录》[①]："王荆公秉政，更新天下之务，而宿望旧人议论不协[②]，荆公遂选用新进，待以不次[③]，故一时政事不日皆举[④]，而两禁台阁[⑤]、内外要权莫非新进之士也。《石林燕语》[⑥]："故事[⑦]，在京职事官绝少用选人者[⑧]。熙宁初，稍欲革去资格之弊，始诏选举到可试用人，并令崇文院校书[⑨]，以备询访差使[⑩]，候二年取旨，或除馆职[⑪]，或升资任[⑫]，或只与合入差遣[⑬]。时邢尚书恕以河南府永安县主簿[⑭]，首为崇文院校书。胡右丞愈知谏院[⑮]，犹以为太遽，因请虽选入而未历外官，与虽历任而不满者，皆不得选举。乃特诏邢恕与堂除近地试衔知县[⑯]。近岁不复用此例，自始登第直为禁从矣[⑰]。"**及出知江宁府[⑱]，吕惠卿骤得政柄[⑲]，有射羿之意[⑳]。而一时之士见其得君，谓可以倾夺[㉑]荆公，遂更朋附之[㉒]，以兴大狱[㉓]。寻荆公再召，邓绾反攻惠卿，惠卿自知不安，乃条列荆公兄弟[㉔]之失数事面奏，上封惠卿所言以示荆公。故荆公表[㉕]有云：'忠**

不足以取信，故事事欲其自明；义不足以胜奸，故人人与之立敌。'盖谓是也。既而惠卿出亳州[26]，荆公复相，承党人之后，平日肘腋[27]尽去，而在者已不可信，可信者又才不足以任事；当日唯与其子雱[28]机谋，而雱又死，知道之难行也，于是慨然复求罢去，遂以使相再镇金陵[29]，未期纳节[30]。久之，得会灵观使[31]。"其发明[32]荆公情事，至为切当。子曰："君子易事而难说也。"[33]而《大戴礼》言："有人焉，容色辞气，其入人甚愉，进退周旋，其与人甚巧，其就人甚速，其叛人甚易。"[34]迹[35]荆公昔日之所信用者，不惟[36]变士习，蠹[37]民生，而己亦不餍[38]其利。苏辙疏吕惠卿，比之吕布、刘牢之。[39]**《书》曰："其后嗣王罔克有终，相亦罔终。"为大臣者，可不以人心风俗为重哉！**

【注释】

①《东轩笔录》：北宋魏泰撰，为北宋太祖至神宗六朝官场见闻的笔记。

②宿望：素来有威望的人，这里指韩琦、欧阳修、司马光等仁宗、英宗朝留下的元老重臣，他们也是王安石变法的反对者。不协：不相和。

③待以不次：指不按照次第升迁。北宋时官员的升降、调动都有严格的资历限制。

④举：推行，施行。

⑤两禁：指中书省与门下省。台阁：尚书台的别称，后指大官府。

⑥《石林燕语》：北宋叶梦得所撰笔记，记载北宋末年至南宋初期的故事旧闻，但与史实不符的地方颇多。

⑦故事:旧日的制度,例行的事。

⑧职事官:有官位和具体职务的官吏,区别于散官。选人:指候选的官员。

⑨崇文院:贮藏图书的官署,北宋沿袭唐朝崇文馆,集昭文馆、史馆、集贤院三馆于崇文院,后来又于崇文院中建立秘阁,与三馆总称崇文院。较书:校定图书的官员。较,通“校”。王安石变法时,所选拔的人才,先授予崇文院校书一职,以备新政顾问和不依资格次第举用。

⑩差使:委任的官职。

⑪除:拜官授职。馆职:即馆阁职务。

⑫资任:资格,资历。

⑬合入差遣:宋朝官制区分官、职、遣。官代表品级与俸禄高低,职是文官的荣誉虚衔,差遣才是实际的职事。

⑭邢尚书恕:邢恕,生卒年不详,字和叔,早年从程颢程颐学,博贯经籍,但天性反复趋附。尚书,官名,协助皇帝处理政务,宋代门下、中书、尚书三省的行政大权集中在尚书省。主簿(bù):官名,为州县掌管文书的属官。

⑮胡右丞愈:胡愈,生年事迹不详。右丞,官名,尚书省属官。知:主管,掌管。谏院:宋时掌管规谏朝政得失的机构。

⑯堂除:又称堂选,指宰相直接选拔官吏。近地:指北宋都城开封附近地区。试衔知县:试行担任知县职务。

⑰直为禁从:指不经过地方官到京官的选转过程,直接由进士选授为两省或馆阁大臣。

⑱江宁府:府名,治所在今江苏南京,王安石于熙宁七年(1074)四月罢相,出知江宁。

⑲吕惠卿(1032—1111):字吉甫,号恩祖,进士出身,入京后深得王安石赏识。王安石力荐其参知政事,他为王安石变法做出许多贡献,拜相后想专权,排斥王安石,引起新党内部矛盾。

⑳射羿之意:典出《左传·襄公四年》。羿即后羿,善射箭,为夏朝有穷氏的首领。夏朝衰败,代夏君自立,但后羿自己不修民事,任用广施权术、收买人心的寒浞为相,最后后羿被寒浞借其家众将他杀死。后世借以比喻被人宠信而试图篡夺其位的人。

㉑倾夺:竞相争夺。

㉒朋附:勾结,阿附。

㉓兴大狱:宋神宗熙宁八年(1075),余姚县主簿李逢、宗室右羽林大将军赵世居因为谋反罪被逮捕,巫士李仕宁被牵连,而李仕宁与王安石交往过密,吕惠卿等想借此攻击王安石。

㉔荆公兄弟:指王安石及其弟弟王安礼、王安国。

㉕荆公表:即王安石的《乞解机务第三表》,文字与下文引文有所出入。

㉖既而:不久。亳州:州名,治所在今安徽亳州。

㉗肘腋:比喻亲近之人。

㉘其子雱:王安石儿子王雱(1044—1076),字元泽,年少即有才气,亦工诗擅文,未及弱冠便著书数万言,王安石新政的主要策划者,北宋著名的政治家、思想家。

㉙以使相再镇金陵:宋代制度,在亲王、留守、节度使等兼侍中、中书令、同平章事的,都称为使相,不参与朝政和签署朝政命令。熙宁九年(1076),王安石再次罢相,出为镇南军节度使、同平章事、判江宁府。

㉚期(jī):一周年。纳节:归还节钺(yuè),即辞去节度使一职。节,即

符节与斧钺，是古代皇帝授予官员或将帅作为加重权利的标志。

㉛得会灵观使：王安石于熙宁十年(1077)改受集禧观使。会灵观，宋代宫观，宋仁宗时遇火，重建后改名集禧观。

㉜发明：指阐发。

㉝“君子易事而难说也”句：语出《论语·子路》，意思是君子容易侍奉，但是很难使他满意。说，通“悦”，高兴，满意。

㉞“有人焉，容色辞气”数句：见《大戴礼记·文王官人》，引文与原文稍有出入。意思是有的人容颜相貌、言辞声调，使人感到愉快，进退应酬，与人结交非常巧妙，他们很快能接近别人，也很容易背叛别人。

㉟迹：此处作动词用，追迹，考究。

㊱不惟：不但，不仅。

㊲蠹(dù)：蛀蚀，败坏。

㊳飨(xiǎng)：同“享”，享用，享受。

㊴苏辙(1039—1112)：字子由，苏洵之子，苏轼之弟，唐宋八大家之一。吕布(？—198)：字奉先，东汉末年名将，先后为丁原、董卓的部将，与董卓誓为父子，后又与王允合力杀死董卓。刘牢之(？—402)：字道坚，东晋名将，足智多谋，有将才，朝廷命刘牢之征讨桓玄，刘牢之派遣儿子刘敬宣投降桓玄，后桓玄想夺他兵权，其子劝他袭击桓玄，他犹豫不决，部下因此四处散走，后自缢而亡。

【译文】

《东轩笔录》载：“王荆公掌政以来，改革天下事务，而素来有威望的老臣们所秉持的议论与王荆公不相和，荆公于是选用新进之士，不以次第升迁，所以新的政策几天内就得以施行，两禁台阁、朝廷内外重要职务全部都是由新进的士子担任。(《石林燕语》记载:“依旧例,在京很少有候选官员担任具体官位和职务。熙宁初年,稍欲革除用资格选拔官吏的弊端,皇帝便下诏选举的以及可试用的人才,一并担任崇文院校书,以备询访差使。等两年后取得圣旨,或是拜官馆阁职务,或是提升资格职务,或只是等待被派遣。当时邢恕尚书以河南府永安县主簿,首先成为崇文院校书。胡愈右丞主管谏院,尚且认为太过仓促,因此他请求虽然选入但未曾担任外官的与虽然担任外官但年限不满的官员,都不得参加选举。于是特意诏令邢恕与宰相直选的官吏在京都附近试担任县令。)等到王荆公出任江宁府知州,吕惠卿骤然得到政治权柄,有取而代之的意图。一时间,士人见吕惠卿得皇帝赏识,认为他可以与王荆公匹敌,于是竞相阿附他,以至于兴起大狱。不久荆公再次被召还归京,邓绾反而攻击吕惠卿,吕惠卿自觉不安,于是条列荆公兄弟的数条过失面奏皇上,皇上封禁吕惠卿所说的而将这些告诉王荆公。所以荆公有奏表说:‘忠心却不足以取信,所以每件事都想要为自己辩白;义不足以胜过奸佞,所以人人与他为敌。’说的大概就是这个。不久吕惠卿被贬亳州,荆公复位宰相,继党人之后,平日亲近的人尽数离去,而在位的人已经不可相信,可信的人才能又不足以担任大事;荆公只有与他的儿子王雱共同谋划,而王雱又先死,他便知晓新法也难以再施行,于是慨然再求罢去宰相一职。再次镇守金陵,后未满一年又辞去官职。过了很久,才得拜官会灵观使。”《东轩笔录》阐发王荆公的事迹最为切当。孔子说:“君子容易侍奉,但是难以满足。”而《大戴礼》说:“有人容颜相貌、言辞声调,能使人非常愉快。进退应酬,与人结交甚为巧妙,他接近人很快速,背叛人也极为容易。”追迹荆公往昔所信用的人,不但改变士人风气,蠹坏民生,而且自己也不能得到益处。(苏辙作疏,将吕惠卿比作吕布、刘牢之。)《尚书》:“后继的君主不能自始至终信奉忠信,辅佐的群臣也不能够自始至终信奉忠信。”做大官的人,能不把塑造人心风俗作为重任吗!

【原文】

《东轩笔录》又曰:“王荆公在中书①,作新经义②以授学者,故太学③诸生几及三千人。又令判监④、直讲⑤程第诸生之业,处以上、中、下三舍⑥,而人间传以为试中、上舍者,朝廷将以不次升擢。于是轻薄⑦书生,矫饰⑧言行,坐作虚誉,奔走公卿之门者若市矣。”

【注释】

①中书:即中书省,与尚书省、门下省并称三省。

②新经义:王安石为改革科举,整顿学制,对《诗》《书》《周礼》重新训释,与其子王雱共同撰修《三经新义》,颁布于官学,作为统一的教材和科举应试的标准。

③太学:汉代建置,宋代时仍为全国最高教育机构。

④判监:宋代国子监、将作监、都水监等官署的掌管,往往由其他官员监管,待制以上朝官,称判某监事,简称判监。

⑤直讲:宋代国子监直讲的简称,辅助博士、助教讲授经术。程:衡量,考核。第:次第,排序。

⑥上、中、下三舍:也称外舍、内舍、上舍,是王安石变法按学生资格分的等级,初进太学的为外舍,由外舍升为内舍,又由内舍升上舍。

⑦轻薄:轻浮、浅薄。

⑧矫饰:伪装造作以作掩饰。

【译文】

《东轩笔录》又说："王荆公在中书省，作新经义传授给学者，太学学生几乎达到三千人。又命令判监、直讲对各学生的学业考核排序，分为上、中、下三舍，而在考试中得中、上舍的，朝廷将不因次第升擢。于是轻浮、浅薄的书生，造作掩饰自己的言行，仗着虚假的荣誉，奔走在公卿的门下如同赶市一般。"

【原文】

苏子瞻《易传·兑卦》解曰："'六三''上六'[1]，皆《兑》之小人[2]，以说为事者均也[3]。'六三'，履非其位，而处于二阳之间，[4]以求说为兑者[5]，故曰'来兑'[6]，言'初'与'二'不招而自来也[7]。其心易知，其为害浅，故二阳皆吉，而'六三'凶。'上六'[8]超然于外，不累于物，此小人之托于无求以为兑者也，故曰'引兑'[9]，言'九五'[10]引之而后至也。其心难知，其为害深，故'九五，孚于剥'[11]……虽然，其心盖不知而贤之[12]，非说其小人之实也，使知其实则去之矣，故有厉而不凶。然则'上六'之所以不光[13]，何也？曰：难进者[14]，君子之事也，使'上六'引而不兑，则其道光矣。[15]"此论盖为神宗用王安石而发。《孟子》曰："好名之人，能让千乘之国[16]。苟非其人，箪食豆羹见于色[17]。"荆公当日处卑官，力辞其所不必辞；既显，宜辞而不复辞。矫情干誉[18]之私，固有识之者矣。夫子之论观人也，曰"察其所安"[19]，又曰"色取仁而行违，居之不疑[20]，在邦必闻，在家必闻"。是则欺世盗名之徒，古今一也，人君可不察哉！

陆游[21]《岁暮感怀诗》:"在昔祖宗时,风俗极粹美。人材兼南北,议论忘彼此。谁令各植党,更仆而迭起,中更夷狄祸,此风犹未已。倘筑太平基,请自厚俗始。"

【注释】

①'六三''上六':《兑卦》的爻,即《兑卦》的要素。上六的爻辞为"上六,引兑。《象》曰:'上六引兑,未光也。'"

②皆《兑》之小人:此处意思即"六三""上六"都是对应了《兑卦》所指的小人。

③以说(yuè)为事者均也:即以喜悦作为外在表现。说,通"悦",喜悦。

④'六三',履非其位,而处于二阳之间:《兑卦》六三的爻辞为:"六三,来兑,凶。《象》曰:'来兑之凶,位不当也。'"是指"六三"所处的位置不当。二阳,即指"六三"处于"九二""九四"两个阳爻之间。

⑤说(yuè):通"悦",喜悦。

⑥来兑:特意去寻求喜悦。兑(yuè):通"悦",喜悦。

⑦'初':即《兑卦》的初九爻。'二':即《兑卦》的九二爻。

⑧'上六':即《兑卦》的初六爻。

⑨'引兑':扩大引申欢悦。兑(yuè):通"悦",喜悦。

⑩'九五':即《兑卦》的九五爻。

⑪孚于剥:诚心相信小人的巧言。《兑卦》九五的爻辞为:"九五,孚于剥,有厉。"意思是诚心相信的小人的巧言,会有祸患。孚,信用,信服。剥,通"驳",辩驳。

⑫其心盖不知而贤之:大概不知道(他是小人)而认为他贤能。贤,此处用作动词,认为……贤能。

⑬然则'上六'之所以不光:《兑卦》上六的爻辞为:"上六,引兑。《象》曰:'上六引兑,未光也。'"光,发扬光大。

⑭难进:指以进去为难。

⑮使'上六'引而不兑,则其道光矣:《兑卦》九五有祸患,而上六与九五相邻,上六处于不利地位,不可能发扬光大,要使上六发扬光大,那么就应该引申扩大但不喜悦。

⑯让:推让,不接受。千乘(shèng)之国,拥有一千辆兵车的国家,在春秋战国时期为中等诸侯国。乘,古代兵车。

⑰箪(dān):装饭的竹器。豆:古代盛肉或其他食品的器皿,形状像高脚盘。见(xiàn):同"现",出现,显露。色:表情。

⑱矫情:掩饰真情。干誉:钓取名誉。

⑲察其所安:语出《论语·为政》,意思是观察一个人安于什么,不安于什么。

⑳色取仁而行违,居之不疑:意思是表面实行仁德而行动上相反,以仁人自居而丝毫不怀疑。此处引文出自《论语·颜渊》。

㉑陆游(1125—1210):字务观,号放翁。诗与尤袤、杨万里、范成大齐名,其四人并称南宋四大家。一生以诗为武器,书写抗金杀敌的豪情和对敌人、卖国贼的仇恨,今存诗九千多首,是伟大的爱国诗人。

【译文】

苏轼解说《易传·兑卦》:"'六三''上六',都对应了《兑卦》的小人,都是将喜悦作为其外在表现的人。'六三'爻处位不当,处于两个阳爻之间,以求得他人的喜悦作为兑。之所以称为'来兑',指的就是初爻与二爻是不招自来的。其心意容易得知,其危害也较轻,所以两个阳爻都吉,而'六三'爻则凶。'上六'超然于物外,不受物所牵累,这是小人假托无所求而作为兑。之所以称为‘引兑’，说的是‘九五’爻招引而后才来到。其心意难以捉摸，其危害深重。所以‘九五’爻辞说‘诚信小人的巧言’……大概其不知道这是小人，故认为他贤能，并不是本来就喜欢他是个小人。假使知道了他的本质，便会离他而去，所以就算有小的灾难也不至于凶险。然而‘上六’爻不能光大的原因是什么呢？回答说：以进取为难，是君子的事，假使‘上六’受召见而不喜悦，那么其道就可以发扬光大了。”这大概是为神宗任用王安石而发的感慨。《孟子》说：“追求声誉的人会让出一千辆兵车，相反，有的人即使面对一点饭菜也会露出争夺的表情。”王荆公当日任卑微的官职，力辞他不必推辞的；已经显赫一时了，应该推辞的却不再推辞。他掩饰真情、钓取名誉的私心，诚然有了解的人。孔夫子论观人，说“审察其安于什么”，又说“表面装作仁德，但行动有违于仁德，以仁人自居而毫不怀疑，这样的人在朝廷里必定虚有其名，在乡里也必定虚有其名”。所以欺世盗名之徒，古今都是一个样的，人君能不详察吗！

陆游《岁暮感怀诗》：“在往昔祖宗时，风俗极为纯粹善美。人才天南地北皆是，议论都忘记彼此来自何方。谁让士子各自结党，前赴后继更相迭起，中间更有夷狄来犯，这种风气仍没能停止。倘若要打好太平盛世的基础，请从改变风俗开始。”

【题解】

《名教》选自《日知录》卷十三。名教是顾炎武为后来统治者指出的一条治国之道。名，名节。名教，功名。如果使天下以名为利，让履行的人“显荣于世”，让违背者“废锢于家”，那么就会起到正人心、厚风俗的作用。所以，他认为“汉人以名为治，故人材盛。今人以法为治，故人材衰”。而以名为治最紧要的是劝学奖廉。具体来说，即对笃信好学、高远特立的可推举为方正、有道之人，委以重任；对修身正心、爱护百姓但告老还乡之人，赐以良田，表彰乡里，显扬其高风亮节。

名　教

【原文】

司马迁作《史记·货殖传》，谓自廊庙[①]朝廷岩穴之士，“无不归[②]于富厚”。等而下之，至于“吏士舞文弄法，刻章伪书，不避[③]刀锯之诛者，没于赂遗[④]”。而仲长敖[⑤]《核性赋》谓：“倮虫[⑥]三百，人最为劣。爪牙皮毛，不足自卫，唯赖诈伪，迭相嚼啮。”等而下之，至于“台隶僮竖[⑦]，唯盗唯窃”。乃以今观之，则无官不赂遗，而人人皆吏士之为矣；无守不盗窃，而人人皆僮竖之为矣。自其束发[⑧]读书之时，所以劝之者，不过所谓“千钟粟”“黄金屋”竖[⑨]，而一日服官，即求其所大欲。君臣上下怀利以相接，遂成风流竖[⑩]，不可复制[⑪]。后之为治者宜何术之操[⑫]？曰：唯名可以胜之[⑬]。名之所在，上之所庸[⑭]，而忠

信廉洁者显荣于世；名之所去，上之所摈，而怙侈贪得者废锢于家[15]。即不无一二矫伪[16]之徒，犹愈于肆然[17]而为利者。《南史》有云："汉世士务[18]修身，故忠孝成俗。至于乘轩服冕[19]，非此莫由[20]。晋、宋以来，风衰义缺。"故昔人之言，曰名教，曰名节，曰功名，不能使天下之人以义为利，而犹使之以名为利，虽非纯王之风[21]，亦可以救积洿[22]之俗矣。

【注释】

①廊庙：指朝廷。

②归：趋向。

③避：躲避，此处引申为惧怕。

④没（mò）：沉默，淹没。赂遗（lùyí）：行贿的财物。

⑤仲长敖：生卒、籍贯、履历均不详，可能是魏晋时期人，他的著作今存仅《核性赋》。

⑥倮（luǒ）虫：指没有羽毛或鳞片等用以蔽身的动物。

⑦台隶：地位低下的奴仆。僮竖：仆从。

⑧束发：系结头发，古代束发代指成童的年龄。

⑨"千钟粟""黄金屋"：古语有言"书中自有千钟粟""书中自有黄金屋"。

⑩风流：如同风气。

⑪复制：还原。

⑫何术之操：为"操何术"的倒装。

⑬胜：承担，承受。

⑭庸：同"用"。

⑮怙(hù):仗恃,仗势。侈(chǐ):奢侈。废锢(gù):革除官职,终身不得出仕。

⑯即:即使,尽管。矫伪:虚伪狡诈。

⑰愈:好过,胜过。肆然:肆无忌惮的样子。

⑱务:致力于。此处引文出自《南史》卷七四《孝义传》论。

⑲乘轩服冕(miǎn):轩为古代大夫以上的官员乘坐的车子,冕是古代大夫以上官员戴的礼帽。乘轩服冕,即指做官。

⑳莫由:没有所凭借的。

㉑纯王之风:指纯粹的美好的风气。

㉒洿(wū):通“污”,污浊。

【译文】

司马迁《史记·货殖传》中说,上自朝廷显要,下至山野隐居之士,没有谁不贪恋厚利。更低一级的,那些舞文弄墨、玩弄法律、私刻图章、伪造文书、不惧怕砍头杀戮的,都覆亡在贿赂之中。仲长敖《核性赋》说:“裸体动物三百多种中,人类算最坏;手、牙、皮、毛发,都不能让人自卫,人只能靠欺诈,互相啃咬”,与之相比更差的,就有“差役奴仆,只知道偷盗窃取”。以今天来论,没有官员不受贿赂,人人都是吏士一般作为;没有不监守自盗的,人人都是奴仆一般施为。自从人束发读书的时候,教导他们的,不过是些所谓的“千钟粟”“黄金屋”的说法,有朝一日成为官员,便开始追求他极为渴望得到的东西。君臣上下以利益交接,成为一种风气。此后的统治者将操持哪种策略呢?答:只有名可以承受。名所看重的,君主所任用的,那么忠信廉洁的人就会显赫于世;名所离去的,君主所摈弃的,那么仗势奢侈贪婪的人就会被革职在家。即使有一两个狡诈虚伪的人,也比无所忌惮追求利益的人要好得多。《南史》说："汉代士人专心修身，所以忠、孝成为风俗。至于乘轩车穿冕服，除此之外别无他途。晋宋以来，风俗衰败，道义不行。"所以古人所说的，为名教，为名节，为功名，不能使天下人以义为利，那就使天下人以名为利，虽然这并非是纯粹美好的风气，但也可以挽救沉重的污浊风气。

【原文】

《旧唐书》：薛谦光为左补阙[①]，上疏言："臣窃窥古之取士，实异于今，先观名行之源，考其乡邑之誉，崇礼让以厉己，显节义以标信，以敦朴为先最，以雕虫[②]为后科，故人崇劝让之风，士去轻浮之行。希仕者必修贞确不拔之操[③]，行难进易退之规。众议已定其高下，郡将难诬其曲直。故计[④]贡之贤愚，即州将之荣辱，假有秽行之彰露，亦乡人之厚颜。是以李陵降而陇西惭[⑤]，干木隐而西河美[⑥]。故名胜于利，则小人之道消；利胜于名，则贪暴之风扇……自七国之季，虽杂纵横，而汉代求才，犹征百行[⑦]，是以礼节之士敏德自修，闾里推高，然后为府寺所辟[⑧]……今之举人，有乖事实，乡议[⑨]决小人之笔，行修无长者之论，策第喧竞于州府，祈恩不胜于拜伏。或明制避武后嫌名，诏改为制。**才出，试遣搜扬[⑩]，驱驰府寺之门，出入王公之第，上启陈诗，唯希欬唾之泽[⑪]；摩顶至足[⑫]，冀荷提携之恩。故俗号举人，皆称觅举。觅者，自求之称也……夫徇己之心切，则至公之理乖，贪仕之性彰，则廉洁之风薄。是知府命[⑬]虽高，异叔度勤勤之让[⑭]；黄门[⑮]已贵，无秦嘉[⑯]耿耿之辞。纵不能挹[⑰]己推贤，亦不肯待于**

三命[18]……故选司[19]补置，喧然于礼闱[20]；州贡宾王[21]，争讼于阶闼[22]。谤议纷合，渐以成风。夫竞荣者必有争利之心，谦逊者亦无贪贿之累。自非上智，焉能不移？在于中人[23]，理由[24]习俗。若重谨厚之士，则怀禄者必崇德以修名；若开趋竞之门，则徼倖者皆戚施而附会[25]。附会则百姓罹[26]其弊，修名则兆庶[27]蒙其福，风化之渐，靡不由兹。"嗟乎，此言可谓切中今时之弊矣。

【注释】

①薛谦光：薛登(647—719)，本名谦光，因与太子同名，改名登。唐朝文学家，精通文史。左补阙：官名，唐朝时设左右补阙对皇帝进行规谏，左补阙归属门下省，右补阙归属中书省。

②雕虫：比喻作辞赋时雕章琢句，此处引申为辞赋。

③希：希望，希求。贞确不拔：坚定不移。

④计：衡量、考核。贡：指被荐举的人。

⑤李陵(前134—前74)：字少卿，陇西人，李广孙，西汉将领。曾率军打匈奴，败投匈奴，西汉朝廷灭李陵三族，匈奴单于嫁女于李陵，并任他为右校王。陇西：地名，今甘肃天水。

⑥干木：生卒年不详，姓段干，名木，战国时期魏国隐士，孔子再传弟子魏文侯多次向他讨教治国治民的道理，想拜他为相，不肯，隐居市井穷巷。西河：地名，今河南安阳。

⑦征：验证，考察。百行(xíng)：指各种品行。

⑧府寺：指公卿的府邸或官署。寺，官署。辟：指征召推荐授官。

⑨乡议：古时乡官们对在任官员进行的评议和举荐。

⑩搜扬：访求举拔。

⑪欬(kài)唾:比喻声音,谈吐。

⑫摩顶至足:形容不辞辛苦,不顾身体。

⑬府命:指官府辟命,借指官府委派的属官。

⑭叔度:黄宪(75—122),字叔度,东汉人,曾举孝廉,被召进公府,后退官耕读,终身布衣。勤勤之让:指恳切至诚的谦让。

⑮黄门:此处指黄门侍郎,官名,随侍皇帝,传达命令。

⑯秦嘉:生卒年不详,字士会,东汉诗人,汉桓帝时任郡吏、黄门侍郎等职务。

⑰挹(yì):同"抑",抑制。

⑱三命:指出任职官的命令。

⑲选司:本为吏部尚书的称谓,后代指吏部。

⑳礼闱:唐代指礼部。

㉑州贡宾王:指州郡推举的辅佐帝王的高官近臣。

㉒阶闼(tà):陛阶和宫门,借指朝廷。

㉓中人:中等人,与上智相对。

㉔由:遵循。

㉕徼倖(jiǎoxìng):非分的贪求。戚施:阿谀谄媚。

㉖罹(lí):遭受苦难或不幸。

㉗兆庶:即兆民,百姓。

【译文】

《旧唐书》载,薛谦光为左补缺,上奏疏说:"臣私下观察古代选拔人才的制度,实在与今天不同。先观察他名声、品行是否可靠,考察他在乡里的声誉,尊崇礼让以勉励自己,显明节义以树立诚信,以敦厚朴实为首要,以吟诗作赋为次要,所以人们崇尚劝让的风气,士子丢弃轻浮的行为。希望做官的人修养坚贞不屈的节操，履行难进易退的规范。众人已经为他评定高下，郡官将很难再评判一个人的曲直。所以考核被荐举的人的贤与愚，也是州官的荣誉与耻辱，而如果有劣行恶迹败露，也是乡人的羞耻。所以李陵投降而陇西人感到惭愧，干木隐逸而西河地区享有美誉。名节超过利益，那么小人之道就会衰落；利益超过名节，那么贪婪暴虐的风气就会显扬……七国末期，虽然掺杂纵横之士，但汉代求取人才，仍然考察各种品行，所以礼节之士勉德自修，闾里推崇，然后被府寺征召……如今举荐人才，违背事实，乡里考评取决于小人之笔，德行修养没有长者的评论，考试选举争闹于州府，祈求恩佑不胜于叩拜。有时制度才颁布，刚派遣使者去搜罗人才，就有人奔走官府，出入王公宅第。上书献诗，只希望唾余的恩泽，不辞辛苦，希望受到提携之恩。所以俗谓举人，都称为觅举。觅是自我钻营的意思……徇己的心思急切，就会使至公之理遭违背，贪图官位的本性彰显，那么廉洁的风气就会削弱。所以官位虽高，却与叔度的殷勤谦让迥异；职务已经显贵，却没有秦嘉那般忠贞。纵使不能推举贤能，也不肯等待征召……所以吏部补任官职，便喧哗于礼部；州郡贡举，便争闹于朝廷。毁谤纷杂，渐渐成为风气。但凡争取荣誉的必定有争利的心思，谦逊的人也没有贪污贿赂的累赘。除非是有大智的人，不然怎么会毫无动摇？中等之人，理应合乎习俗。若是推重恭谨朴实的人，那么有俸禄的必定会崇尚道德而修养名节；若开趋炎附势之门，那么非分贪求的人都会谄媚附会。趋炎附会，那么百姓就会遭受弊端；修养名节，那么万民就会蒙受恩福，所以风俗渐变，无不由此体现。”哎，这言论真是切中当今社会的弊病呀！

【原文】

汉人以名为治，故人材盛。今人以法为治，故人材衰。

宋范文正上晏元献书曰[1]："夫名教不崇，则为人君者谓尧、舜不足法，桀、纣不足畏；为人臣者谓八元[2]不足尚，四凶[3]不足耻。天下岂复有善人乎？人不爱名，则圣人之权去矣。"

今日所以变化人心、荡涤污俗者，莫急于劝学、奖廉二事。天下之士，有能笃信好学，至老不倦，卓然可当方正、有道[4]之举者，官之以翰林、国子之秩[5]，而听其出处[6]，则人皆知向学，而不竞于科目[7]矣。庶司[8]之官，有能洁己爱民，以礼告老，而家无儋石之储[9]者，赐之以五顷、十顷之地，以为子孙世业[10]，而除其租赋[11]，复其丁徭[12]，则人皆知自守而不贪于货赂矣。岂待菑川再遣方收牧豕之儒[13]；公孙弘[14]优孟[15]陈言始录负薪之胤[16]。孙叔敖而扶风之子特赐黄金[17]；尹翁归[18]琢郡之贤常颁羊酒[19]。韩福[20]遂使名高处士[21]，德表具僚[22]，当时怀稽古[23]之荣，没世仰遗清之泽[24]，不愈于科名爵禄劝人，使之干进而饕[25]利者哉！以名为治，必自此途始矣。

【注释】

①范文正：即范仲淹，见《宋世风俗》一章。晏元献：晏殊（991—1055），字同叔，谥号元献，世称晏元献。官至集贤殿学士、礼部尚书、兵部尚书等，北宋著名词人，与欧阳修并称"晏欧"。

②八元：据《左传·文公十八年》记载，高辛氏有才子八人，天下之民

谓之八元。

③四凶：指浑敦(húndūn)、梼杌(táowù)、穷奇和饕餮(tāotiè)四大凶兽。

④方正、有道：皆为汉代举士的科目名。

⑤官：用作动词，委以官职。翰林：官名，清代翰林院属官侍读学士、侍讲学士、编修、庶吉士的通称。国子：指明清时国子监中的学官。

⑥听其出处：指不问原来的科目是什么。以上几句意思是天下士子只要德美好学，就许他翰林、国子的官位，不管他原来所习的科目是什么。

⑦科目：古代分科取士的名目，如秀才、进士、明经等，始自隋唐。

⑧庶司：各官署、诸衙门。

⑨儋石(dāndàn)之储：以一石粮食作为储备，形容存粮很少。

⑩世业：指先代所遗留的产业、财产。

⑪除：免除。租赋：田租、赋税。

⑫复：去除，免除。丁徭：也称丁役，古代各户出壮丁服劳役。

⑬菑(zī)川：地名，今山东寿光。牧豕(shǐ)：牧猪。

⑭公孙弘(前220—前121)：西汉经学家，年幼时家贫，在海边放猪。武帝时被征为贤良博士，出使匈奴，复命时不符合武帝意，被罢免。后汉朝又征文学贤良的士子，菑川国再次推荐公孙弘，拜为文学博士。

⑮优孟：生卒年不详，春秋时期楚国优伶，名孟。楚相孙叔敖曾善待优孟，孙叔敖死后，其儿子穷困不堪，优孟劝言楚王，楚王于是厚待孙叔敖之子。

⑯录：通“禄”，此处引申为厚待。负薪之胤(yìn)：此处指贫困的孙叔敖之子。负薪，背负木柴，形容贫困至极。胤，后代，子嗣。

⑰扶风之子：此处指尹翁归的儿子。
⑱尹翁归（？—前62）：字子兄，西汉大臣，原任东海郡太守，以政绩优异调入右扶风，死后家中毫无积蓄，天子赏赐他儿子黄金百斤。
⑲琢郡：即涿郡，在今河北涿州。
⑳韩福：生卒年不详，涿郡人，汉昭帝曾赐韩福羊一头，酒二斛。
㉑处士：指有才德而隐居不仕的人。
㉒德：美德。表：彰显。具僚：即具臣，聊以充数的臣子。
㉓当时：此处指在世时。稽古：考察古事，此处引申为忘利好学。
㉔没世：逝世。遗清：遗留下来的清廉美名。
㉕饕：贪求。

【译文】

汉代以名节作为治国之策，所以人才济济。当今以法为治国之策，所以人才衰落。

宋代范仲淹给晏殊进献的奏书说："不崇拜名教，那么当君主的就说尧、舜不足以效法，桀、纣不足以畏惧；做臣子的就说八元不值得崇尚，四大凶兽不值得以之为耻。这样的话天下难道还会有善人吗？人不爱名节，那么圣人的权威就消失殆尽了。"

当今可以用来变化人心、荡涤污俗，紧要的莫过于劝学、奖掖廉正两大事。天下士子，对笃信好学，到老也不倦怠，高远特立而完全可以被推举为方正、有道的人，委以翰林、国子的官职，不管他原本所习的是什么科目。这样一来，人人都知道向学，而不在科目之间竞争。各官署里的官员，能修身正心、爱护百姓，因礼而告老辞官，但家中存粮不多的，赐给他五顷或十顷土地，作为其子孙的产业。免除他们的田租赋税，去除他们的徭役，那么人人都知道守住自己本分而不贪求财物。怎么会等到菑川国再次推举才征召放猪的儒生;(公孙弘)等到优孟进言才厚待贫困负荆的功臣的子孙。(孙叔敖)特赐黄金给扶风官员(尹翁归)的儿子,赏赐涿郡贤人(韩福)羊肉和酒。使名高的处士、德显的官员,在世时就享有忘利好学的名誉,死后有清廉美名流传,这难道不胜过用科名爵禄劝人进取,使他们谋求官职而贪求利益吗!以名节为治国之策,必定由此途径开始。

【原文】

汉平帝元始[①]**中,诏曰:"汉兴以来,股肱**[②]**在位,身行俭约,轻财重义,未有若公孙弘者也,位在宰相封侯,而为布被脱粟之饭**[③]**,奉禄以给故人宾客,无有所余,可谓减于制度**[④]应劭[⑤]曰:"礼贵有常尊,衣服有品。"**而率下笃**[⑥]**俗者也,与内富厚而外为诡服**[⑦]**以钓虚誉者殊科**[⑧]**……其赐弘后子孙之次见为適者**[⑨]**,爵关内侯**[⑩]**,食邑**[⑪]**三百户。"**

《魏志》[⑫]**:嘉平六年,朝廷追思清节之士,诏赐故司空徐邈**[⑬]**、征东将军胡质**[⑭]**、卫尉田豫谷**[⑮]**二千斛**[⑯]**,帛三十束,布告天下。后魏宣武帝延昌四年诏曰:故处士李谧**[⑰]**,"屡辞征辟,志守冲素**[⑱]**。儒隐之操,深可嘉美,可远傍惠、康**[⑲]**,近准玄、晏**[⑳]**。谥曰贞静处士,并表其门闾**[㉑]**,以旌高节。"《唐六典》:"若蕴德丘园**[㉒]**,声实明著,虽无官爵,亦赐谥曰先生"。**存者赐之以先生之号,殁者则加之以谥。如杨播[㉓]隐居不仕,至德[㉔]中赐号玄靖先生是也。《宋史》同。**以余所见,崇祯中尝用巡按御史祁彪佳**[㉕]**言,赠举人归子慕**[㉖]**、朱陛宣**[㉗]**为翰林院待诏。**

《唐书》:"牛僧孺[㉘]**……隋仆射奇章公弘**[㉙]**之裔,幼**

孤[30],下杜樊乡[31]有赐田数顷,依以为生。"则知隋之赐田,至唐二百年而犹其子孙守之,若金帛之颁,廪禄之惠,则早已化为尘土矣。国朝正统[32]中,以武进[33]田赐礼部尚书胡濙[34],其子孙亦至今守之。故窃以为奖廉之典[35]莫善于此。

【注释】

①元始:汉平帝年号,自公元1年至公元5年。

②股肱(gǔgōng):大腿和胳膊,比喻左右辅助得力的人。

③脱粟:粗粮,只脱去谷皮的粗米。

④减于制度:低于制度所规定的。而制度即下文应劭所说的"礼贵有常尊,衣服有品",意思是礼制规定,达官贵人地位尊贵,衣服、车舆等都有等级标准。

⑤应劭:生卒不详,字仲远,东汉著名学者,于经学、礼制、史学、语言文字学等都有很深的造诣。著作丰富,其《汉书集解音义》是《汉书》早期重要的注本。

⑥笃:厚。

⑦诡:虚伪,欺诈。服:做,从事。

⑧殊科:类别不同。科,科品,类别。

⑨子孙之次:子孙之中。次,序列。见(xiàn)为適(dí)者:现为嫡系子孙的。见,通"现"。適,通"嫡"。

⑩关内侯:爵位名,秦、汉时置,为二十等爵的第十九级,仅次于最高等的彻侯。一般无封国,居于京城或京郊。

⑪食邑:古代君主赏赐臣子封地,即以此地租税作为其俸禄。以上引文见《汉书》卷五八《公孙弘传》。

⑫《魏志》：即《三国志·魏志》，以下引文引自《三国志》卷二七《魏志·徐邈传》。

⑬司空：官名，西周始置，位列三公，与六卿相当，与司马、司寇、司士、司徒并称五官，掌水利、营建之事。汉朝本无此官，成帝时改御史大夫为大司空，但职掌与周代的司空不同。徐邈(171—249)：字景山，三国时曹魏重臣，每任一官，政绩卓著，百僚敬畏。

⑭胡质(？—250)：字文德，三国时魏国臣子，以忠清著称，历任扬州治中、征东将军。

⑮卫尉：官名，汉时为九卿之一，掌管宫门警卫，魏晋南北朝时沿置。卫尉即卫将军。田豫(171—252)：字国让，三国时魏国将领，封长乐亭侯。

⑯斛(hú)：古代容量单位，一斛本来为十斗，后改为五斗。

⑰李谧(484—515)：字永和，博通诸经，好游山水，屡次推辞征辟，以琴书为业。以下引文见《北史》卷三三《李谧传》。

⑱冲素：冲淡纯朴。

⑲惠、康：陈垣校注："惠康"不详，疑是"惠连"，即柳下惠、少连。

⑳玄晏：皇甫谧(215—282)，字士安，自号玄晏先生，三国西晋时学者、医学家、史学家。

㉑门闾(lǘ)：指乡里、里巷。

㉒蕴：蕴藏。丘园：乡野林园，隐居的地方。此处引文见《唐六典》卷二《考功郎中》。

㉓杨播：字元休，南北朝时期北魏官员、将领，唐朝政治家杨炎的父亲，唐肃宗赐号玄靖先生。

㉔至德：唐肃宗年号，起于公元756年，止于公元758年。至德年间称年为载。

㉕巡按御史：官名，简称巡按，代天子巡狩，在地方考察民情，监督吏治。祁彪佳(1602—1645)：字宏吉，又字世培，崇祯时担任御史，对戏曲颇有研究，为戏曲理论家及戏曲作家。

㉖归子慕(1503—1606)：字季思，号陶庵，归有光之子，明代诗文家，学者称清远先生。

㉗朱陛宣(约1568—1626)：字德升，因父亲多病，决意进取，为孝廉二十年。

㉘牛僧孺(779—848)：字思黯，历穆、敬、文宗三朝，官至兵部尚书、同平章事，是牛李党争中牛党首领。此处引文见《新唐书》卷一七一《牛僧孺传》。

㉙奇章公弘：牛弘(545—610)，字里仁，隋朝大臣，本姓寮，赐姓牛，文帝时，晋爵奇章郡公。

㉚孤：幼年死去父亲或父母双亡称孤。

㉛下杜樊乡：地名，在今陕西西安长安区南。

㉜正统：明英宗年号，起于1436年，止于1449年。

㉝武进：地名，在今江苏常州。

㉞胡濙(1375—1463)：字源洁，号洁庵。明代重臣，文学家、医学家。曾奉明成祖朱棣之命前往各地寻访建文帝朱允炆下落。

㉟典：法则，准则。

【译文】

汉平帝在元始年间下诏说："汉朝自兴起以来，作为股肱大臣，能够躬行节俭，轻财重义，没有谁能像公孙弘那样。他位居宰相，封为列侯，而用麻布被子、吃糙米饭，将多余的俸禄给故人、宾客，自家却没有余财，可以说他的生活用度完全低于标准。他这样做为下级作了表率，使风俗醇厚，这与那些背地里豪奢厚养而表面装作节俭以沽名钓誉的人是不一样的。"据《魏志》记载，嘉平六年(254)，朝廷追念清白有节操的士人，下诏赐已故司空徐邈、征东将军胡质、卫慰田豫谷谷物两千斛、帛三十束，布告天下。后魏宣武帝延昌四年(524)下诏说：已故处士李谧，"屡次推辞征聘辟召，志向保守冲淡纯朴。有儒士隐居的节操，深可嘉奖赞美。远可以以惠、康为据，近可以玄晏为准。谥号称贞静处士，并表彰其乡里，以显扬他的高风亮节"。《唐六典》："如果其人隐居而素有盛德，声名显著，即使没有官爵，也可赐谥号'先生'。"(在世的赐先生之号，逝世的则加以谥号。比如杨播隐居不仕，至德年间赐号玄靖先生。《宋史》也如此记载。)以我所见，崇祯年间曾采用巡按御史祁彪的佳言，追赠举人归子慕、朱陛宣为翰林院待诏。

《唐书》载："牛僧孺……隋朝仆射奇章公牛弘的后裔，幼孤，在下杜樊乡有皇帝赐给的数顷田地，以此来维持生计。"这就可以知道隋朝所赐田地，到唐已两百多年，仍有子孙所守。像颁赐的金帛，惠赐的米粮俸禄，则早已化为尘土了。国朝正统年间，将武进地区的田赐给礼部尚书胡濙，他的子孙至今仍守护着这片土地。所以我认为没有比这更好的奖廉的办法了。

【题解】

《廉耻》选自《日知录》卷十三。顾炎武认为在国之四维“礼义廉耻”中，耻最为重要，若不觉得耻辱人就会无所不为。譬如人不廉以致违背礼制、触犯道义，根源都在于无耻。古人治军，也以廉耻为根本，道理在于用礼教导百姓和士兵，用义激励他们，使他们知道羞耻。人有了羞耻之心，力量强大的可以出战，力量小的可以放手。贪婪之人，即使个人身居官位，也有倾覆城池之害，《唐书》记载王佖贪财好货，使得吐蕃修成乌兰桥，朔方屡受寇扰，便是典型例证。

廉　耻

【原文】

《五代史·冯道传》论曰[①]：“‘礼义廉耻，国之四维[②]；四维不张，国乃灭亡。’善乎，管生[③]之能言也！礼义，治人之大法；廉耻，立人之大节。盖不廉则无所不取，不耻则无所不为。人而如此，则祸败乱亡亦无所不至。况为大臣，而无所不取，无所不为，则天下其有不乱，国家其有不亡者乎？”然而四者之中，耻尤为要。故夫子之论士，曰“行己有耻”[④]；《孟子》曰：“人不可以无耻，无耻之耻，无耻矣。”[⑤]又曰：“耻之于人大矣，为机变之巧者，无所用耻焉。”[⑥]所以然者，人之不廉而至于悖礼犯义，其原皆生于无耻也。故士大夫之无耻，是谓国耻。吾观三代以下，世衰道微，弃礼义，捐[⑦]廉耻，非一朝一夕之故。然而松柏后凋于岁寒[⑧]，鸡鸣不已于风雨[⑨]，彼昏之日，固未尝无独

醒之人也。顷读《颜氏家训》[10]，有云：“齐朝[11]一士夫尝谓吾曰：‘我有一儿，年已十七，颇晓书疏[12]。教其鲜卑语及弹琵琶，稍欲通解。以此伏事[13]公卿，无不宠爱。’吾时俯而不答。异哉，此人之教子也！若由此业自致卿相，亦不愿汝曹[14]为之。”嗟乎，之推[15]不得已而仕于乱世，犹为此言，尚有《小宛》[16]诗人之意。彼阉然[17]媚于世者，能无愧哉？

【注释】

①《五代史》：此处为《新五代史》，宋欧阳修撰。冯道(882—954)：字可道，自号长乐老，历仕后唐、后晋、后汉、后周四朝十君，颇为后人非议。

②四维：四个维度、准则。此四句见《管子·牧民》。

③管生：管仲(？—前645)，名夷吾，字仲，春秋时期政治家，担任齐国宰相十年，使齐国空前强盛，成为春秋时期首先称霸中原的大国。

④行己有耻：语出《论语·子路》。

⑤“人不可以无耻”三句：语出《孟子·尽心上》。

⑥“耻之于人大矣”三句：亦出自《孟子·尽心上》。

⑦捐：舍弃，抛弃。

⑧松柏后凋于岁寒：《论语·子罕》：“岁寒然后知松柏之后凋也。”后世常用岁寒松柏比喻在逆境中仍能保持节操的人。

⑨鸡鸣不已于风雨：《诗经·郑风·风雨》：“风雨如晦，鸡鸣不已。”风雨交加天色昏暗的时候，雄鸡鸣叫不止。后用来比喻黑暗的社会里仍不乏有识之士。

⑩顷：不久以前。《颜氏家训》：北齐学者颜之推入隋后所作，旨在以

儒家思想为立身治家之道训诫子孙，为家训类书籍的经典著作。

⑪齐朝：指北齐。

⑫书疏：书札，书信。

⑬伏事：服侍，伺候。

⑭汝曹：代词，你们。

⑮之推：即颜之推（531—约550），北齐思想家、教育家。

⑯《小宛》：《诗经·小雅》中的一篇，是一首关于遭逢乱世而兄弟相诫以图免祸的诗。

⑰阉（yān）然：隐蔽、掩藏的样子。

【译文】

《五代史·冯道传》论说：“‘礼义廉耻，是治理国家的四个准则，这四个准则没有确立，国家就会灭亡。’管仲这话说得多好呀！礼义，是治理百姓的根本法则；廉耻，是人们立身的根本节操。不廉洁就无所不取，不觉得耻辱就无所不为。人如果如此，那么灾祸动乱、失败灭亡也会无所不至。何况做大臣的无所不取、无所不为，那么天下还有不乱、国家还有不灭亡的吗？”而四个准则中，耻最为重要。所以孔子在论士时说：“凡是自己认为可耻的事不要去做”；《孟子》说：“人不可以无耻，以无耻为耻辱，就不会招来耻辱。”又说：“耻对于人来说太重要了，一个机变、用巧的人，是不会有什么羞耻心的。”之所以这样，是因为人不廉以致违背礼制，触犯道义，根源都在于无耻。所以士大夫无耻，就是国耻。我观察三代以下，世风衰败，道德沦丧，弃礼义抛廉耻，并非一朝一夕的缘故。然而松柏历经岁寒而不凋谢，鸡鸣经风雨而不停止，别人昏昏之日，必定也不曾没有独自清醒的人。不久前读《颜氏家训》，其中说“齐朝一士大夫曾对我说：‘我有一个儿子，已经十七岁，学问做得很不错。教他鲜卑语、弹琵琶，也都能掌握。以此来服侍公卿，没有谁不宠爱。'我当时低头不语。这个人教儿子的方法真奇怪呀！若是由此能成为卿相，我也不想你们这样做。"唉！颜之推不得已而在乱世当官，还说这样的话，尚有《小宛》所表达的意思。那种做事遮遮掩掩专想谄媚世人的人，能不感到羞愧？

【原文】

罗仲素[1]曰："教化者，朝廷之先务；廉耻者，士人之美节；风俗者，天下之大事。朝廷有教化，则士人有廉耻；士人有廉耻，则天下有风俗。"

古人治军之道，未有不本于廉耻者。《吴子》[2]曰："凡制国治军，必教之以礼，励之以义，使有耻也。夫人有耻，在大足以战，在小足以守矣。"《尉缭子》[3]言："国必有慈孝廉耻之俗，则可以死易生。"而太公[4]对武王：将有三胜，一曰礼将，二曰力将，三曰止欲将。[5]故礼者所以班朝治军[6]，而《兔罝》之武夫皆本于文王后妃之化[7]，岂有淫刍荛[8]，窃牛马[9]，而为暴于百姓者哉！《后汉书》：张奂[10]为安定属国都尉[11]，"羌豪帅感奂恩德[12]，上马二十匹，先零[13]酋长又遗金鐻[14]八枚。奂并受之，而召主簿于诸羌前，以酒酹[15]地曰：'使马如羊，不以入厩；使金如粟，不以入怀。'悉以金、马还之，羌性贪而贵吏清，前有八都尉，率好财货，为所患苦，及奂正身洁己，威化大行"。呜呼，自古以来，边事之败，有不始于贪求者哉？吾于辽东之事[16]有感。

【注释】

①罗仲素：罗从彦（1072—1135），字仲素，人称豫章先生，北宋末学者、理学家。

②《吴子》：古代兵书，相传为战国时期吴起所作。引文见《吴子·图国》。

③《尉缭子》：古代兵书，相传为战国时期尉缭所作。引文见《尉缭子·战威》。

④太公：即姜太公，商周之际军事家。姜姓，吕氏，名望，字尚父，一说字子牙，又称“吕尚”。他博闻多智，通晓天文地理，深谙治国安邦之道。

⑤“将有三胜”四句：见《六韬·励军》，原文与此有些出入。

⑥班朝：正朝仪位次。治军：正师旅卒伍。

⑦《兔罝（jū）》之武夫皆本于文王后妃之化：《兔罝》为《诗经·周南》中的一篇，有“赳赳武夫”之句。《小序》说：“《兔罝》，后妃之化也。”

⑧淫刍荛（chúráo）：指放纵军人去乱割草，乱砍柴，典出《左传·召公十三年》。淫，放纵。

⑨窃牛马：指军人偷窃牛马，典出《尚书·费誓》。

⑩张奂（103—181）：字然明，东汉将领，少年勤奋好学，素有雄心大志。

⑪安定：地名，在今甘肃定西。属国都尉：官名，汉武帝时在边地内迁少数民族地区设置，统县治民，相当于郡太守。

⑫羌（qiāng）：古民族，主要分布在今甘肃、青海、四川一带。豪帅：首领。

⑬先零：汉时羌族的一支，最初居于今甘肃、青海的湟水流域，后渐与西北各族融合。

⑭金鐻(qú):金子制成的耳环。

⑮酹(lèi):把酒洒在地上表示祭奠或起誓。

⑯辽东之事:指明万历时镇守辽东的大将李成梁,虽然战功赫赫,但贵极而骄,奢侈无度,甚至掩败为功。李成梁去职后,接替之人十年间更换八次,边境的防务更为松懈,而女真努尔哈赤势力却乘机扩大。

【译文】

罗仲素说:"教化,是朝廷的首要任务;廉耻,是士人美好的节操;风俗,是天下头等大事。朝廷有教化,则士人有廉耻;士人有廉耻,则天下有风俗。"

古人治军,没有不以廉耻为根本的。《吴子》说:"凡治理国家和军队,必定用礼教导百姓和士兵,用义激励他们,使他们知道羞耻。人有了羞耻之心,力量强大的可以出战,力量小的可以固守。"《尉缭子》言:"国家一定要有慈孝廉耻的风俗,这样才可以以死换生。"而太公对武王说:有三种将领可以打胜仗,一是知礼的将领,二是有勇的将领,三是能克制欲望的将领。所以礼可以整肃朝班,治理军队,而《兔罝》中雄赳赳的武夫,都本于文王后妃的教化,怎么会有放肆地去割草,去偷窃牛马,去做危害百姓的事!《后汉书》中说:张奂任安定属国都尉,"羌人首领感激张奂的恩德,献上马二十匹,先零酋长又赠送了八枚金耳环。张奂全部接受了,却把主簿叫到各羌人首领面前,把酒浇到地上,立誓说:'即使战马像羊一样,也不牵进马厩;即使金钱像小米一样,也绝不装进腰包。'于是他把金器、战马全部退还。羌人生性贪婪但看重官员的清廉,之前八位都尉都贪图财物,羌人被他们害得很苦,但张奂洁身自好,所以威望教化得以普遍推行"。唉,自古以来边事的败坏，有不始于贪婪之人的吗？我对辽东的事很有感慨。

【原文】

杜子美诗："安得廉颇将，三军同晏眠。"[1]一本作"廉耻将"，诗人之意未必及此。然吾观《唐书》言，王佖为武灵节度使[2]，先是，吐蕃[3]欲成乌兰桥，每于河壖[4]先贮材木，皆为节帅[5]遣人潜载之，委[6]于河流，终莫能成，蕃人知佖贪而无谋，先厚遗之，然后并役成桥，仍筑月城[7]守之，自是朔方御寇不暇，至今为患。由佖之黩货[8]也。故贪夫为帅，而边城晚开[9]。得此意者，郢书燕说[10]，或可以治国乎？（见《韩非子》。）

【注释】

①安得廉颇将，三军同晏眠：见杜甫《遣兴三首》其一。廉颇，生卒年不详，战国时期赵国名将。晏眠，安眠。

②王佖(bì)：唐宪宗时将领，雄武，善骑射，任左卫上将军。武灵节度使：正式名称为朔方灵盐节度使，治所在灵武，即今宁夏灵武西南。

③吐蕃(bō)：中国古代藏族政权名，公元7世纪至9世纪建立于青藏高原。

④壖(ruán)：古同"堧"，城下宫庙外及水边等处的空地或田地。

⑤节帅：即节度使。

⑥委：抛弃，舍弃。

⑦月城：城外筑造的用以屏蔽城门的半圆形小城，因似半月而得名。

⑧黩(dú)货：贪财。

⑨边城晚开：意思是贪财的人担任将帅会招引敌人入侵，边城城门不敢早开。

⑩郢(yǐng)书燕说：出自《韩非子·外储说》，郢人在给燕相的信中误写“举烛”二字，而燕相则解释为尚明、任贤的意思。后世用以比喻虽然扭曲原意，但可能取得了较好的效果。

【译文】

杜子美诗：“如何能得到如廉颇一样的将领，三军战士能共同安眠。”一种版本作“廉耻将”，诗人的意思未必是这样的。但我看《唐书》说，王佖担任武灵节度使时，吐蕃想建造乌兰桥以便军队通过。河曲贮藏的材木被朔方府派兵袭击，夺走木材，丢到河里，最终乌兰桥没能修成。王佖上任后，吐蕃人知道王佖贪婪无谋略，便先用厚礼贿赂他，然后加速建成乌兰桥；又筑造月城驻守，自此以后朔方不得不忙于防御入侵，至今为患。这都是由于王佖贪财好货啊。所以贪婪的人为将帅，那么边城城门不敢早开。懂得这个道理，即使屈解了原意，也是可以用以治国吧！（见《韩非子》。）

【题解】

《俭约》选自《日知录》卷十三。顾炎武认为，国家流行奢靡之风，就应厉行俭约，这是君子的行为准则，也是宰相的职责所在。君子若以身作则，厉行节俭，任地方官时便能教化一邦之地，任京官则能教化天下。他例举了许劭、蔡充、李德林等人事迹，以阐述“君子若以身作则，厉行节俭，任地方官时便能教化一邦之地，任京官则能教化天下”的观点。此条虽论君子，实则主要指臣子，与下文《大臣》条可相互参读。

俭约

【原文】

“国奢示之以俭”[①]，君子之行，宰相之事也[②]。汉汝南许劭为郡功曹[③]，同郡袁绍[④]，公族[⑤]豪侠，去濮阳令归[⑥]，车徒甚盛，入郡界，乃谢[⑦]曰：“吾舆服岂可使许子将见之！”遂以单车归家。晋蔡充[⑧]好学，有雅尚[⑨]，体貌尊严[⑩]，为人所惮。高平刘整[⑪]，车服奢丽[⑫]，尝语人曰：“纱縠[⑬]，吾服其常耳。遇蔡子尼在坐，而经日不自安。”[⑭]北齐李德林[⑮]父亡，时正严冬，单衰徒跣[⑯]，自驾灵舆[⑰]，反葬博陵[⑱]。崔谌[⑲]休假还乡，将赴吊，从者数十骑[⑳]，稍稍减留[㉑]，比至[㉒]德林门，才余五骑，云：“不得令李生怪人熏灼。”[㉓]李僧伽修整笃业[㉔]，不应辟命。尚书袁叔德来候僧伽[㉕]，先减仆从，然后入门，曰：“见此贤，令吾羞对轩冕。”[㉖]夫惟君子之能以身率物[㉗]者如此，是以居官而化一

邦，在朝廷而化天下。

【注释】

①国奢示之以俭：国家盛行奢靡之风就应厉行节俭。出自《礼记·檀弓》："国奢示之以俭，国俭示之以礼。"

②君子之行，宰相之事也：厉行节俭是君子的行为准则，也是宰相的职责所在。

③汝南：地名，今河南汝南。郡功曹：官名，汉朝郡府功曹，统领诸曹，统管众务，包括群吏的升迁黜免。

④袁绍（？—202）：字本初，东汉末年群雄之一。

⑤公族：诸侯的同族。

⑥去：此处指离任。濮阳：地名，在今河南濮阳。令：县令。

⑦谢：推辞，谢绝。

⑧蔡充（？—307）：一作蔡克，字子尼，蔡邕侄子。

⑨雅尚：美好的志向。

⑩尊严：遵规严肃，崇高庄严。

⑪高平：地名，在今山东巨野。刘整：晋人，生平不详。

⑫奢丽：奢侈华丽。

⑬纱縠（hú）：用细纱织成的丝织物。

⑭经日：一本作"竟日"，整日。

⑮李德林（530—590）：字公辅，北齐时举秀才，入隋后，授郡公爵位，博学多闻，以孝闻世。

⑯单衰（cuī）：单薄的孝服。衰，古代用粗麻布制成的毛边丧服。徒跣（xiǎn）：光脚，不穿鞋袜。

⑰灵舆：灵车。

⑱反：同“返”，指返回家乡。博陵：地名，今河北定县。

⑲崔谌(chén)：隋人，博陵豪族。

⑳骑(jì)：一人一马的合称。

㉑减留：减少留下的人。

㉒比至：等到到达。

㉓李生：即李德林。怪人熏灼：责怪人太多，气势太盛。事见《隋书》卷四二《李德林传》。

㉔李僧伽：北魏中散大夫李充之子，有名于时。修整笃业：指专心于所笃爱的事业。

㉕袁叔德：即袁聿修，字叔德，生卒年不详，北齐时任尚书。来候：看望，问好。

㉖轩冕：古代卿大夫的车服，大夫以上的官员才可以乘轩服冕。此部分见《北史》卷一〇〇《李僧伽传》。

㉗以身率物：即以身作则，给众人做出表率。率，作表率，楷模。

【译文】

国家应推崇俭约之风，杜绝奢靡之风，这是君子的行为准则，也是宰相的职责所在。汉代汝南人许劭担任郡功曹，同郡的袁绍，是贵族中的豪侠人物，刚卸任濮阳县县令一职回乡，车马随从很多。将要进入郡界时，他推辞说：“我这一套排场怎么能让许子将看见。”于是乘坐单车回家。晋代蔡充子尼好学，有高雅的志趣，体貌崇高严肃。高平的刘整，车马服饰奢侈华丽，曾对人说：‘纱縠，是我平日里穿的。’但遇到蔡子尼在座，便会整日不自在。北宋李德林的父亲逝世，那时正是严冬季节，他穿着单薄的孝服赤着双脚，自己驾着灵车，将其父葬回博陵。崔谌将休假回乡，要去凭吊，跟从的有数十人，他慢慢减少留下的人，等到了李德林家门，才剩下五个随从，说："不能让李生责怪我人太多，气势太盛。"李僧伽专心于自己所笃爱的事业，不接受朝廷的征召。尚书袁叔德去见李僧伽，先让仆从人数减少一些，然后才进门，说："见这样的贤人，我对自己的轩车、冕服感到羞愧。"君子能像这样以身作则，所以当地方官时能教化一邦之地，在朝廷当官能教化天下。

【原文】

魏武帝时，毛玠为东曹掾①，典②选举，以俭率人，"天下之士莫不以廉节自励，虽贵宠之臣，舆服不敢过度。"唐大历末，元载③伏诛，拜杨绾④为相，绾"质性贞廉⑤，车服俭朴，居庙堂⑥未数日，人心自化。御史中丞崔宽⑦，剑南西川节度使宁之弟，家富于财，有别墅在皇城之南，池馆台榭，当时第一，宽即日潜遣毁撤。中书令郭子仪⑧，在邠州行营⑨，闻绾拜相，坐中音乐减散五分之四。京兆尹黎干⑩，每出入，驺从⑪百余，亦即日减损，惟留十骑而已"。"李师古⑫跋扈，惮杜黄裳为相⑬，命一干吏寄钱数千缗⑭、毡车子⑮一乘。使者到门，未敢送，伺候累日，有绿舆自宅出，从婢二人，青衣褴褛⑯，言是相公夫人。使者遽归，告师古。师古折其谋⑰，终身不敢改节。"此则禁郑人之泰侈，奚必于三年⑱；变洛邑之矜夸，无烦乎三纪⑲。修之身，行之家，示之乡党而已，道岂远乎哉！

【注释】

①毛玠（？—216）：字孝先，三国时人，年少时为县吏，以清廉公正著

称。东曹掾(yuàn):官名,为西汉丞相府、东汉三公府隶属官吏,掌管二千石长吏的选举迁除,三国、西晋时沿袭。

②典:掌管。

③元载(? —777):字公辅,代宗时任宰相,结党营私,卖官受贿,后因权势大盛,获罪被杀。

④杨绾(wǎn)(? —777):字公权,唐朝学者,博通经史,为官廉洁,俸禄分给亲故,自奉节俭,闻名当时。

⑤贞廉:坚贞廉洁。

⑥庙堂:指朝廷。

⑦崔宽:被哥哥西川节度使崔宁留在京城结交权贵,崔宁则在蜀地积敛财物,元载擢升崔宽为御史中丞。

⑧郭子仪(697—781):唐代名将,以平定安史之乱封为汾阳王,肃宗时为中书令。

⑨邠(bīn)州:地名,辖境相当于今陕西彬县、旬邑、淳化、永寿四县。行营:出征时的军营,特指统帅出征办公的地方。

⑩黎干:生卒年不详,代宗时担任京兆尹,甚是贪暴,后被赐死。

⑪驺(zōu)从:骑马侍从。杨绾事见《旧唐书》卷一一九《杨绾列传》。

⑫李师古:李师古祖父、父亲皆为平卢节度使,李师古袭位,为人颇跋扈。

⑬惮:惧怕。杜黄裳(738—808):字遵素,德宗时任宰相,主张削弱藩镇,封邠国公。

⑭缗(mín):古代计量单位,一缗为一千文。

⑮毡(zhān)车子:以毛毡做车篷的车子。

⑯褴缕(lánlǚ):同"褴褛"。形容衣服破烂。

⑰折其谋:指放弃他的计谋。杜黄裳事见《何氏语林·德行》。

⑱禁郑人之泰侈，奚必于三年：郑国子产改革田制，听从忠诚节俭的卿大夫之言，骄横奢侈的依法撤职。三年后，朝野上下心悦诚服。事见《左传・襄公三十年》。

⑲纪：古代十二年为一纪。

【译文】

魏武帝时，毛玠担任东曹掾，掌管选举，奉行俭约，以身作则，“天下的士子没有不以廉洁节俭自我勉励的，即便是高贵、受宠的臣子，舆服都不敢逾越制度。”唐大历末年，元载伏法被杀，拜杨绾为宰相，杨绾“质性坚贞廉洁，车马服饰都很俭朴，在朝廷担任宰相没几天，人心自然被教化。御史中丞崔宽，是剑南西川节度使崔宁的弟弟，家里财产富裕，在皇城南边有一别墅，水池、馆阁、楼台、亭榭俱全，当时号称第一。然而，在杨绾担任宰相当日，崔宽就悄悄派人把豪舍拆毁了。中书令郭子仪，在邠州行营听闻杨绾担任宰相，座席上的宴乐减去了五分之四。京兆尹黎干，每次出行时有百余骑从，也在杨绾担任宰相那日减少人数，只留了十个骑从”。“李师古跋扈，忌惮杜黄裳担任宰相，命令一能干的小官送去银钱数千缗、毡车子一辆。使者到了杜黄裳门前，不敢送，等了几天，见有绿色的轿子从宅内出来，有两个婢女跟从，身上衣裳破旧，说轿子上坐的是相公夫人，使者立即回去，将这事告诉了师古。师古放弃了他的计谋，终身也不敢改变他的节操。”这就是禁止郑国人奢侈必定要等三年，改变洛邑浮夸的风气则不需要三纪的道理。修于己身，实行于家，在乡党中做出表率，道怎么会遥远呢！

【题解】

《大臣》选自《日知录》卷十三。开篇顾炎武引用《礼记》“大臣秉公守法，小臣清正廉洁，百官依次尽职，君臣相互勉励匡正，国家就会强大”，因此大臣家庭生活的奢侈或俭约，直接关系着政治教化的兴盛或败坏。廉洁虽是人臣的一种品德，但《左传》称之为忠。顾炎武因此将大臣的廉洁提高到对国家和人民忠诚的高度上来。追求华屋彩服、养尊处优，是人之常情，如果大臣自我放纵，其产生的后果可能就是“高后降之弗祥，民人生其怨诅，其究也，乃与国而同败”。因此，在顾炎武看来，对大臣的考察，不仅在于观察他占有的财产多少，也要“观之于终”，即他死后留下多少财产。

大臣

【原文】

《记》[①]曰：“大臣法[②]，小臣廉，官职相序[③]，君臣相正[④]，国之肥[⑤]也。”故欲正君而序百官，必自大臣始。然而王阳黄金之论，时人既怪其奢；[⑥]公孙布被之名，直士复讥其诈。[⑦]则所以考其生平而定其实行者，惟观之于终，斯得之矣。“季文子[⑧]卒，大夫入敛[⑨]，公在位[⑩]。宰庀家器为葬备[⑪]，无衣帛之妾，无食粟之马，无藏金玉，无重器备[⑫]，君子是以知季文子之忠于公室也。相三君矣，而无私积，可不谓忠乎？”诸葛亮自表后主曰[⑬]：“成都有桑八百株，薄田十五顷，子孙衣食，悉仰于家，自有余饶。至于臣在外任，无别调度[⑭]，随身衣食，悉仰于官，不别治

生，以长尺寸[15]。若臣死之日，不使内有余帛，外有赢财，以负陛下。"及卒，如其所言。夫廉不过人臣之一节，而《左氏》称之为忠，孔明以为无负者。诚以人臣之欺君误国，必自其贪于货赂也。夫居尊席腆[16]，润屋华身[17]，亦人之常分尔，岂知高后降之弗祥[18]，民人生其怨诅[19]，其究也[20]，乃与国而同败邪！诚知夫大臣家事之丰约，关于政化之隆污[21]，则可以审择相之方[22]，而亦得富民之道矣。杜黄裳，元和之名相，而以富厚蒙讥。[23]卢怀慎，开元之庸臣，而以清贫见奖。[24]是故"贫则观其所不取"[25]，此卜相之要言。[26]

【注释】

①《记》：《礼记》，儒家经典之一，主要记载了先秦的礼制，是研究先秦社会的重要资料。引文出自《礼记·礼运》。

②法：用作动词，指秉公守法。

③相序：指百官依次尽职。

④相正：指相互勉励匡正。

⑤肥：肥胖，引申为强大。

⑥"王阳黄金之论"二句：王阳，即王吉（？—前48），字子阳，世称王阳。西汉谏议大夫，王吉和他儿子王崇以清廉闻名，喜好车马服饰，但等他们迁走后，车上所载的不过一袋衣服，离职后穿的是布衣吃的是糙米，天下人佩服他们廉洁但很奇怪他们奢华，于是就有传闻说王阳能造出黄金。事见《汉书》卷七二《王吉传》。

⑦公孙布被之名：公孙即公孙弘（前200—前121），以白衣起家，汉武帝时期担任丞相，穿麻布衣吃糙米，而朝廷里却有人怀疑他虚伪做

作。事见《汉书》卷五八《公孙弘传》。

⑧季文子(? 一前 568 年):即季孙行父,春秋时期鲁国大夫,执政 33 年。姬姓,季氏,死后谥号“文”,史称“季文子”。此处引文见《左传·襄公五年》。

⑨大夫入殓:以大夫的礼仪入殓。

⑩公:指鲁襄公。按当时礼仪,鲁襄公应亲临吊祭季文子。

⑪宰:古代贵族家中的管家。庀(pǐ):具备,备办。

⑫无重(chóng)器备:指家里一切器具不重复。

⑬诸葛亮(181—234):字孔明,号卧龙。三国时期蜀汉丞相,杰出的政治家、军事家、发明家。后主:刘备之子刘禅,蜀汉第二任君主。以下引文见《三国志》卷三五《诸葛亮传》。

⑭无别调度:指不另外营谋私产。调度:安排。

⑮不别治生,以长(zhǎng)尺寸:是指没有别的营生,来增添尺寸财产。治生,生计。

⑯居尊席腆(tiǎn):指身处高位,筵席丰盛。席,筵席。腆,丰厚。

⑰润屋华身:指房屋亮堂,衣服华丽。

⑱高后降之弗祥:指上天有不祥之兆。高后,指上天。

⑲怨诅:怨恨诅咒。

⑳究:极,最终。

㉑隆污:兴盛与败坏。

㉒审:知道。方:方法,原则。

㉓“杜黄裳”三句:杜黄裳为唐宪宗时名相,生前事迹可见上文《俭约》条。其死后受贿的事情被揭发出来,名誉受损。元和,唐宪宗年号,起于公元 806 年,止于公元 820 年。

㉔“卢怀慎”三句:卢怀慎,唐玄宗开元年间宰相,自认才能不及姚崇,

所以事事推崇姚崇，有人讥讽他是伴食宰相，但是卢怀慎一生清廉节俭，不治产业，死后没有什么财产，玄宗十分怜悯他家贫穷，赐绢百匹。

㉕贫则观其所不取：语出《淮南子》，意思是人贫穷的时候看他不争取什么。

㉖卜相：选择宰相。卜，选择。要言：至理名言。

【译文】

《礼记》说："大臣秉公守法，小臣清正廉洁，百官依次尽职，君臣相互勉励匡正，国家就会强大。"所以，要匡正皇帝，让百官尽职，必须从大臣开始。然而，王阳有生出黄金的传闻，因为当时的人怀疑他奢侈；公孙弘有盖麻布被子的美名，但人们讥讽他虚伪。所以考察大臣的生平，评定他的实际品行，唯有观察他死后，才能得出结论。"季文子死的时候，根据大夫入殓的礼仪，鲁襄公亲临吊祭。家宰用家里的器物作为葬具，家里没有穿丝绸的妾，没有喂粮食的马，没有存储的金器玉器，没有双份的器具。鲁襄公这才知道季文子忠于王室。辅佐过宣公、成公、襄公三位国君，却没有私人积蓄，难道可以说是不忠吗？"诸葛亮给后主刘禅上书道："成都有桑树八百棵，薄田五十顷，子孙以此劳动为生，日子还过得去。至于臣在外地任职，也没有其他安排，全靠做官得点俸禄，也没有别的生计，来增添尺寸财产。臣死的那一天，一定不会使家里家外有剩余的财物，以辜负陛下的厚望。"等到诸葛亮死后，果真如同他说的那样。廉洁不过是人臣的一种品德，而《左传》称是忠的表现，孔明以为是不辜负背弃。的确人臣要欺君误国，自己必定会贪污受贿。身居高位，筵席丰盛，居室亮堂，衣服华美，不过是人之常情罢了，怎会知道上天降下不祥，百姓产生怨怒，而最终竟会连同国家也一起败坏了！懂得了大臣的奢侈或俭约，直接关系着政治教化的兴盛或败坏，那么才可以知道选择宰相的原则，也能够知道使百姓富裕的方法。杜黄裳是唐宪宗元和年间的名相，但生前受贿致富，使自己名誉扫地。卢怀慎是开元时期的庸臣，却以清贫受到褒奖。所以“人贫穷的时候看他不争取什么”，这是选择宰相的至理名言。

【题解】

《除贪》选自《日知录》卷十三。如果说《大臣》条，顾炎武侧重探讨如何识别大臣是否为贪官，那么《除贪》则着重探讨对贪官污吏的惩治。顾炎武主张，除贪必须依靠法律手段，而且必须严格按照法律行事。但顾炎武也认识到，开国之初，对贪官污吏的惩治较为严厉，而后来渐渐采取姑息政策，最典型的是以银钱赎罪，甚至以钱粮买官。至宋代则以"刑不上大夫"的名义"特旨曲宥"，此后，惩贪之法日益宽松，明代自燕王篡位后，"赃吏巨万，仅得罢官"。然而对贪官污吏姑息则是对百姓利益的残害："嗟乎，范文正有言：'一家哭何如一路哭邪！'"

除　贪

【原文】

汉时赃罪被劾，或死狱中，或道[①]自杀。唐时赃吏多于朝堂决杀[②]，其特宥[③]者乃长流岭南。睿宗[④]太极元年四月制："官典、主司枉法[⑤]，赃一匹已上，并先决一百[⑥]。"而改元及南郊赦文[⑦]，每曰："大辟罪[⑧]已下，已发觉未发觉，已结正未结正[⑨]，系囚见徒[⑩]，罪无轻重，咸赦除之。官典犯赃，不在此限。"然犹有左降遐方[⑪]，谪官蛮徼者[⑫]。而卢怀慎重以为言，谓"屈法惠奸"[⑬]，非正本塞源[⑭]之术。是知"乱政同位"，商后作其丕刑；[⑮]贪以败官，《夏书》训之必杀。[⑯]三代之王，罔不由此道者矣[⑰]。

【注释】

①道:道路,此处指在流放的路上,用作状语。

②决杀:打杀。

③宥(yòu):宽恕,饶恕。

④睿宗:唐睿宗李旦(626—716),唐高宗第八子,两度登基,两度让位,一是让位其母武则天,二是禅位其子李隆基。

⑤官典、主司:都指官员。

⑥先决一百:《旧唐书》卷七《睿宗本纪》作"先决仗一百",意思是先杖责一百。

⑦改元:帝王即位时或在位期间改变年号。南郊赦文:唐敬宗、唐文宗、唐代宗、唐宣宗等皇帝都撰有南郊赦文,都是大赦天下的旨令。

⑧大辟罪:商周、战国时期五刑之一,死刑的通称。

⑨结正:如同结案。

⑩系囚见徒:泛指罪犯。系囚,被关押牢狱正在审理的囚徒。见徒,指已经判决正在服刑的罪犯。

⑪左降:降职,贬官。遐方:远方。

⑫蛮:蛮荒之地。徼(jiào):边境,边界。

⑬屈法惠奸:歪曲法令施惠于奸人。见《旧唐书》卷九八《卢怀慎传》。

⑭正本塞源:从根本上、源头上加以整顿、清理。

⑮"是知乱政同位"二句:语出《尚书·盘庚中》。乱政,这里指扰乱政治的臣子。同位,指在位的。商后,此处指商朝君主。丕刑,指严厉的罪行。

⑯"贪以败官"二句:见《左传·昭公十四年》。自己有罪恶却掠取别人的美名,贪赃败坏官纪的以及毫无顾忌杀人的,《夏书》说这些人都应被处死。《夏书》,《尚书》组成部分,记载夏朝史事的书。

⑰罔不：没有不。由：沿袭。

【译文】

汉代因贪赃被弹劾的，或是死在狱中，或是在流放路上自杀。唐时贪赃的官吏大多在朝堂上就被下打杀令，其中有特别宽恕的就长期流放到岭南地区。唐睿宗太极元年(712)四月的法制："官员贪赃枉法，贪布一匹以上，杖责一百。"但凡皇帝更改年号便会在南郊发布大赦天下旨令，会说："死罪以下，已经发现的、未发现的，已经结案的、未结案的，正在审理或是已在服刑的，罪过不论轻重，一律赦免。官吏贪赃枉法，不在大赦范围内。"但是仍有被降职至远方，贬官至蛮地、边境的。卢怀慎说得更严重，他认为贬官、降职远方，是"歪曲法令施惠于奸人"，并非是从源头上加以整顿的方法。据此可知，对于"乱政的大臣"，商代君主严厉地进行惩罚；贪赃而败坏官纪的，《夏书》都评定为该杀。夏商周三代的君主，没有不遵循这些准则的。

【原文】

宋初，郡县吏承五季之习，黩货厉民[①]，故尤严贪墨[②]之罪。开宝三(四)年，董(王)元吉守英州，[③]"受赃七十余万，帝以岭表[④]初平，欲惩掊克[⑤]之吏，特诏弃市[⑥]"。而"南郊大赦[⑦]，十恶[⑧]、故劫杀[⑨]及官吏受赃者不原[⑩]"。史言"宋法有可以得循吏者三"[⑪]，而不赦犯赃其一也。天圣[⑫]以后，士大夫皆知饰簠簋[⑬]而厉廉隅[⑭]，盖上有以劝之矣。《石林燕语》："熙宁中，苏子容[⑮]判审刑院[⑯]，知金州张仲宣坐枉法赃[⑰]，论[⑱]当死。故事：命官以赃论死，皆贷[⑲]命，杖脊黥配海岛[⑳]。子容言：'古者刑不上大夫，可杀则杀。仲宣五品官，今杖而黥之，得无辱多士乎？[21]'乃诏免黥杖，止流岭外。自是遂为例。"然惩贪之法亦渐以宽矣。**于文定慎行[22]谓："本朝姑息之政甚于宋世，败军之将，可以不死，赃吏巨万，仅得罢官，而小小刑名反有凝脂之密[23]，是轻重胥失之矣。"盖自永乐[24]时，赃吏谪令戍边，宣德[25]中改为运砖纳米赎罪，浸[26]至于宽，而不复究前朝之法也。**宣德中，都御史刘观[27]坐受脏数千金，论斩。上曰："刑不上大夫，观虽不善，朕终不忍加刑。"命遣戍辽东。正统[28]初，遂多特旨曲宥。**呜呼，法不立，诛不必，而欲为吏者之毋贪，不可得也。人主既委其太阿之柄[29]，而其所谓大臣者皆刀笔筐箧[30]之徒，毛举细故[31]，以当天下之务，吏治何由而善哉？**

【注释】

①黩(dú)货：贪财，贪污。厉民：苛待百姓。

②贪墨：也作"贪冒"，贪图财利。

③开宝三年，董元吉守英州：《宋史》卷二《太祖本纪》：(开宝)四年冬十月"庚午，太子洗马王元吉因贪赃犯法，处死弃市。"《刑法志》作"开宝四年，王元吉守英州"，此处"三年"与"董元吉"都有误。王元吉(？—917)：曾任太子洗马。英州：地名，在今广东英德。

④岭表：指岭南，在今广东一带。

⑤掊(póu)克：以苛刻的税收敛聚财务，也作"掊刻"。

⑥弃市：古代在闹市执行死刑，并将尸体弃置街头示众，称为"弃市"。此处引文见《宋史》卷二〇〇《刑法志》。

⑦南郊大赦：指开宝四年十一月宋太祖赵匡胤在南郊祭祀，大赦天下。

⑧十恶：古代刑律中有十大罪恶，犯者不赦，即一谋反，二谋大逆，三

谋叛，四恶逆，五不道，六大不敬，七不孝，八不睦，九不义，十内乱。

⑨故劫杀：故意抢劫杀害。

⑩原：谅解，宽容。此处引文见《宋史》卷二《太祖本纪》。

⑪循吏：遵法循理的官吏。引文见《宋史》卷四二六《循吏传》。

⑫天圣：宋仁宗赵祯年号，起于1023年，止于1032年。

⑬簠簋（fǔguǐ）：古代祭祀盛稻、粱、黍、稷等的器皿。据《汉书·贾谊传》，古代大臣有因为不廉洁而被罢官废除的，不说不廉洁，而说“簠簋不饬”，即不整饬祭祀的食器，后世因而用“簠簋不饬”代指贪污。

⑭厉：厉行。廉隅：有节操、端正的品行。

⑮苏子容：苏颂（1020—1101），字子容，北宋宰相、天文学家、药物学家，英国学者李约瑟称“苏颂是中国古代和中世纪最伟大的博物学家和科学家”。

⑯判：审判。审刑院：北宋初，为分割宰相权力，设置审刑院，直属皇帝监管，评议裁决重大案件。

⑰张仲宣：生卒年、籍贯不详，天圣三年为太常博士。坐：由……获罪。枉法赃：刑律名，指歪曲或破坏法律贪赃。

⑱论：评定。

⑲贷：宽恕。

⑳黥（qíng）：古代刑罚之一，在脸上刻字。配：发配。

㉑得无：恐怕，是不是。表示测度语气的语气词。多士：众士，即士大夫。

㉒于文定：于慎行（1545—1607），字可远，又字无垢，官至太子少保。熟悉典章制度，参与制定许多礼制，赐谥文定。明代文学家，诗人。

㉓刑名：古代主管刑事的幕僚。凝脂之密：凝固的油脂紧密无间，比喻法网严密。引文见于慎行《谷山笔麈》卷三。

㉔永乐：明成祖朱棣的年号，起于1402年，止于1424年。

㉕宣德：明宣宗朱瞻基的年号，起于1426年，止于1435年。

㉖浸：逐渐，渐渐。

㉗刘观：生卒年不详，洪武十八年进士，据《明史》记载，明宣宗问大学士杨士奇等，当时贪污最严重的是谁，杨士奇答是刘观。此处引文见《明宣宗实录》卷五六。

㉘正统：明英宗年号，起于1436年，止于1449年。

㉙太阿(ē)之柄：比喻权柄。太阿，春秋战国时期吴国干将铸造的宝剑。

㉚箧箧(qiè)：用以贮藏布帛、书籍的方形箱子。《汉书·贾谊传》："俗吏之所务，在于刀笔筐箧，而不知大体。"

㉛毛举细故：列举琐碎的事情。

【译文】

宋朝初年，郡县的官吏承袭五代的陋习，贪赃枉法，苛待百姓，所以朝廷要严惩贪赃之吏。开宝三(四)年，董(王)元吉驻守英州，"受贿贪赃七十余万，宋太祖刚刚平定岭南之地，想要惩罚以苛刻税收敛聚财务的官吏，特别下令判处王元吉杀头示众"。"南郊大赦天下，犯十恶、故意抢劫杀害罪的以及贪赃的官吏不予宽赦。"史书说"宋代的制度能促使产生守法循理的官员，原因有三"，其中之一就是不宽赦贪赃枉法之人。天圣以后，士大夫都践行廉洁、端正的品行，皆因君主有所劝勉。(《石林燕语》："熙宁年间，苏子容审判审刑院案件，金州知州张仲宣贪赃枉法，按律应当处死。依旧例：朝廷命官因为贪赃被判死刑的，皆可以免除一死，杖责脊背、在脸上刻字，然后发配海岛。子容说：'古时候刑罚不对大夫实行，可以处以死刑的就处死。仲宣是五品官员，如今杖打脊背、在脸上刻字，这不是对士大夫的严重侮辱吗?’于是诏令免除杖责刻字的刑罚,只是将他流放岭外。从此就成了定例。”自此,惩治贪赃的法律也渐渐变得宽松了。)于文定说:“本朝(明朝)姑息的政策比宋代更严重,打败仗的将军,可以不死,官吏贪赃过万,也仅仅被罢官,而对于小小幕僚反而法网严密,这是对官吏有失轻重。”大概自永乐时,犯贪污之罪的人被贬去戍守边疆,宣德年间改判为运砖纳米赎罪,法律渐渐变得很宽松,而不再因袭前朝的法律。(宣德年间,都御史刘观贪污数千金,按论当处死。皇上说:“刑罚不对大夫实行,刘观人虽不好,我终是不忍心对他用刑。”于是下令派遣刘观戍边辽东。到正统初年,便有许多特殊旨令曲意宽容。)唉,法律不确立,执法不严,而想要官吏不贪污,是不能做到的。人君既然委以官吏权柄,而那些所谓的大臣都是一些埋首于刀笔筐箧之徒,只列举一些琐碎细微的事,而将之当作天下大事,这样吏治怎么会改善呢?

【原文】

《北梦琐言》[①]:“后唐明宗[②]尤恶墨吏。邓州留后陶玘[③],为内乡令成归仁所论税外科配[④],贬岚州司马[⑤]。掌书记王惟吉[⑥],夺历任告敕[⑦],长流绥州[⑧]。亳州刺史李邺[⑨],以赃秽赐自尽。汴州仓吏犯赃[⑩],内有史彦珣旧将之子,又是附马石敬瑭[⑪]亲戚。王建立[⑫]奏之,希免死。上曰:‘王法无私,岂可徇亲!’”“供奉官丁廷徽[⑬],巧事权贵,监仓犯赃,侍卫使张从宾方便救之。上曰:‘食我厚禄,盗我仓储,苏秦复生,说我不得。’并戮之。”以是在五代中号为小康之世。

【注释】

①《北梦琐言》：五代末宋初孙光宪所撰的文言笔记，多记晚唐及五代宫廷遗闻、士大夫生活轶事、社会风俗等。

②后唐明宗：李嗣源（867—933），原名邈吉烈，五代时期后唐第二位皇帝。在位期间，于弊政多有改革，爱人恤物，但仁而不明，后因变乱抱恨而终。以下引文分别见《北梦琐言》卷一八、卷一九。

③邓州：在今河南邓州，南北朝至宋辖穰、南阳、向城、临湍、内乡等九县。留后：官名，唐中晚期，由节度使之子侄或亲信代行职务者称为节度使留后，北宋改为承宣使。陶玘：生卒年不详，五代时人，历官许州留后、邓州留后，贪污聚敛无节制，被贬岚州司马，后赐死。

④内乡：县名，在今河南内乡。论：控告，举报。科配：也称纽配、科敛、科索，古代政府对赋税正项外所征的附加项目。

⑤岚州：地名，治所在今山西岚县北。

⑥掌书记：唐、五代行军府、节度使府所设置的僚佐，掌朝觐、品慰、祭祀、升绌等事。

⑦告敕：即告身，朝廷授官的文凭。

⑧绥州：今陕西绥德。

⑨亳州：今安徽亳州。

⑩汴州：在今河南开封西北。仓吏：官仓中的胥吏。

⑪石敬瑭（892—942）：后唐明宗的驸马，后起兵造反，灭后唐称帝，建立后晋，即晋高祖，沙陀族人。

⑫王建立（871—940）：后唐明宗时官拜成德军节度使，入晋后累封韩王，为政严酷，凶残好杀，时人称其为“王垛叠”。

⑬供奉官：宦官的泛称。

【译文】

《北梦琐言》:“后唐明宗尤其厌恶贪赃的官吏。邓州留后陶玘,被内乡县县令成归仁举报税外征税,因此被贬为岚州司马。掌书记王惟吉,夺取以往各任官吏的告敕,被长期流放到绥州。亳州刺史李邺,因为贪赃纳贿被赐自尽。汴州县官仓胥吏贪赃,这些官仓有史彦珣旧部将的儿子,又是驸马石敬瑭的亲戚。王建立上奏,希望能免他一死。唐明宗说:‘王法不讲私情,怎么可以曲从亲戚朋友!’”“供奉官丁廷徽,投机取巧事奉权贵,监督仓库时贪污,侍卫使张从宾设法营救。唐明宗说:‘享受我给的丰厚的俸禄,却盗窃我仓库的储物,即使苏秦重生了,也不能劝说我免他的罪。’于是将丁廷徽和张从宾一并处死了。”所以五代时称唐明宗时期为小康之世。

【原文】

《册府元龟》载:“天成[①]四年十二月,蔡州[②]西平县令李商,为百姓告陈[③]不公,大理寺断止[④]赎铜[⑤]。敕旨[⑥]:‘李商招愆[⑦],俱在案款[⑧];大理定罪,备引格条[⑨]。然亦事有所未图[⑩],理有所未尽。古之立法,意在惜人。况自列圣相承,溥天[⑪]无事,人皆知禁,刑遂从轻。丧乱以来,廉耻者少。朕一临寰海[⑫],四换星灰[⑬],常宣无外之风[⑭],每革从前之弊,惟期不滥[⑮],皆守无私。李商不务养民,专谋润己。初闻告不公之事件,决彼状头[⑯];又为夺有主之庄田,挞[⑰]其本户。国家给州县篆印[⑱],只为行遣[⑲]公文,而乃将印历[⑳]下乡,从人户取物。据兹行事,何以当官!宜夺历任官,杖杀。’”读此敕文,明宗可谓得轻重之权者矣。

【注释】

①天成：五代后唐明宗李嗣源的年号，起于 926 年，止于 929 年。此处引文见《册府元龟》卷一五四《帝王部·明罚》。

②蔡州：地名，在今河南汝南。

③告陈：告状。

④止：同“只”，仅仅。

⑤赎铜：古代允许犯人纳铜赎罪，以免除刑罚的制度。

⑥敕旨：天子所下的诏令。

⑦招愆(qiān)：招致罪过，这里指所犯之罪。

⑧案款：“案款状”的省称，即供状。

⑨格条：法律条文。

⑩图：描绘。

⑪溥(pǔ)天：普天。溥，通“普”。

⑫朕一临寰(huán)海：如同“君临四方”。寰海，指海内。

⑬四换星灰：指历经四年。灰，古时测验节气变化的器具，即灰管。

⑭无外：古代帝王以天下为一家，犹无穷，无所不包。

⑮滥(kǎn)：通“欿”，贪欲，卑污。

⑯状头：即原告。

⑰挞(tà)：鞭挞，鞭打。

⑱篆印：此处指官印。

⑲行遣：处理，处置。

⑳印历：“印纸历子”的省称，是用来记录官吏政绩的册簿，由官员自己逐项如实填写，任满上交，朝廷据此考核官吏的政绩。

【译文】

《册府元龟》记载：“天成四年(929)十二月，蔡州西平县县令李商，被百姓告发处事不公正，大理寺仅仅判决其用钱财赎罪。天子下令说：'李商所犯之罪，都在供状中写明；大理寺定罪，备引法律条文。然而事并未叙述全面，理并未说尽。古人立法，旨在珍惜人才。况且自列圣相承以来，普天之下相安无事，人人都知道禁忌，刑罚于是就越来越轻。丧乱以来，有廉耻之心的人少。朕统领天下，常常宣扬天下一家之风，每每革除从前的弊病，只期待人无贪念，谨守无私之德。李商不致力于为百姓牟利，只为自己谋取利益。初听闻状告不公之事，却判决原告有罪；又处理夺取有主庄田的案件，却鞭笞庄田的主人。国家给州县官员官印，是为处理公文所用，而他却将印纸历子带下乡，以官府的名义从百姓手中获取物资。按这种方式行事，又怎么能当官！应剥去他所担任的官职，杖杀。'"读到此篇敕文，可以知道明宗是懂得轻重的统治者。

【原文】

《金史》：大定[①]十二年，"咸平尹石抹阿没剌以赃死于狱[②]，上谓：'其不尸诸市[③]，已为厚幸。贫穷而为盗贼，盖不得已。三品职官以赃至死，愚亦甚矣。其诸子皆可除名[④]'"。夫以赃吏而锢及其子，似非恶恶[⑤]止其身之义，然贪人败类，其子必无廉清，则世宗[⑥]之诏亦未为过。《汉书》言李固[⑦]、杜乔[⑧]，朋心合力，致主文、宣[⑨]，而孝桓[⑩]即位之诏有曰："赃吏子孙，不得详举[⑪]。"岂非汉人已行之事乎？

《元史》至元[⑫]十九年九月壬戌敕："中外[⑬]官吏，赃罪轻者决杖，重者处死。"

【注释】

①大定：金世宗完颜雍年号，起于1161年，止于1189年。引文见《金史》卷四五《刑志》。

②咸平：地名，在今辽宁开原。

③不尸诸市：指没有将尸体上街示众。

④除名：除去名籍，此处指除去入仕为官的资格。

⑤恶恶(wùè)：憎恶邪恶的人或罪恶的事。

⑥世宗：金世宗完颜雍(1123—1189)，金朝第五代皇帝，在位期间，争取汉族地主的支持，注意发展生产，减轻人民负担，开创“大定之治”，有“小尧舜”之称。

⑦李固(94—147)：字子坚，东汉中期名臣，年少时博览古今，学识渊博。顺帝时为议郎，冲帝时为太尉，冲帝死后，李固和杜乔等因立嗣问题与大将军梁冀不合，被梁冀诬杀。

⑧杜乔(？—147)：字叔荣，举孝廉，历任南郡太守、光禄大夫、太子太傅等，也因忤逆梁冀被杀。

⑨文、宣：汉文帝、汉宣帝。

⑩孝桓：汉桓帝刘志(132—167)，东汉第十位皇帝，梁冀毒死九岁质帝，立刘志为帝。后桓帝连同宦官单超等五人歼灭梁氏，但也因此导致宦官当权，引发“党锢之祸”。

⑪不得详举：《后汉书》卷七《孝桓帝本纪》作“不得察举”。

⑫至元：元世祖忽必烈的年号，起于1264年，止于1294年。

⑬中外：指朝廷内外。引文见《元史》卷一二《世祖忽必烈本纪》。

【译文】

《金史》记载：大定十二年(1172)，“咸平尹石抹阿没刺因贪赃死在监狱中，皇上说：'不将他的尸体上街示众，已经对他很宽厚了。因贫穷而当盗贼，是不得已。三品的官吏因贪赃而死，是够愚蠢的。他的儿子们都取消做官资格。'"因官吏贪赃而剥夺其子为官的权利，似乎并不是憎恶邪恶而只是惩罚邪恶之人本身，但贪赃枉法，品德败坏的人，他们的儿子必定也不是廉洁清正之人，因此金世宗的诏书也不能说太过。《(后)汉书》说李固、杜乔齐心合力，想把皇帝辅佐成文帝、宣帝那样的明主，汉桓帝即位的诏书也有"贪官的子孙，不得参与察举"的话。这难道不是汉朝人就已经施行的制度吗？

《元史》至元十九年(1282)九月壬戌的敕告说："朝廷内外的官吏，贪污之罪较轻的施行杖责，罪责重的处死。"

【原文】

有庸吏之贪，有才吏之贪。《唐书·牛僧孺传》[①]："穆宗初[②]，为御史中丞，宿州[③]刺史李直臣[④]坐赃当死，中贵人[⑤]为之申理。帝曰：'直臣有才，朕欲贷[⑥]而用之。'僧孺曰：'彼不才者，持禄取容[⑦]耳。天子制法，所以束缚有才者。安禄山[⑧]、朱泚[⑨]以才过人，故乱天下。'帝是其言，乃止。"今之贪纵者，大抵皆才吏也，苟使之惕[⑩]于法而以正用其才，未必非治世之能臣也。

【注释】

①《唐书·牛僧孺传》：此处引文与《旧唐书》卷一七二《牛僧孺传》文字稍有差异。

②穆宗：唐穆宗李恒(795—824)，原名李宥。

③宿州：地名，今安徽宿州。

④李直臣:唐朝大臣,生卒事迹皆不详。

⑤中贵人:宦官,亦称"中贵",特指皇帝宠幸的宦官。

⑥贷:此处指用财物赎罪。

⑦持禄取容:指拿着俸禄取悦于人。

⑧安禄山(703—757):初名轧荦山,本姓康,任平卢节度使、范阳节度使、河东节度使,唐代藩镇割据势力之一,安史之乱祸首之一,后建立燕政权,年号圣武。

⑨朱泚(742—784):唐代藩镇割据者,原为幽州将领,后被部下拥为节度使,泾原兵变,被哗变的士兵拥立为帝,国号秦,后改为汉。

⑩惕:戒惧。

【译文】

庸官会贪赃,才吏也会贪赃。《唐书·牛僧孺传》说:"穆宗初年,牛僧孺任御史中丞,宿州刺史李直臣因贪赃按律应被判决处死,宦官为他讲情。皇帝说:'直臣有才能,朕打算宽恕他的罪行,继续任用他。'牛僧孺说:'那些没有才能的人,只不过拿着俸禄取悦人罢了。天子立法,就是为了束缚有才能的人。安禄山、朱泚因为才能过人,才扰乱天下。'皇帝赞同他的观点,于是放弃宽恕李直臣。"今天贪污纵欲的人,大抵都是有才能的官吏,假使他们对法律有敬畏之心而将才能运用到正道上,未必不是治世的能臣。

【原文】

《后汉书》称袁安[①]"为河南尹,政号[②]严明,然未尝以赃罪鞫[③]人"。此近日为宽厚之论者所持以为口实[④]。乃余所见,数十年来姑息[⑤]之政,至于纲解纽[⑥]弛,皆此言贻

之敝[7]矣。嗟乎，范文正有言："一家哭何如一路哭邪[8]！"

朱子谓："近世流俗，惑于阴德[9]之论，多以纵舍有罪为仁[10]。"此犹人主之以行赦为仁也。孙叔敖断两头蛇而位至楚相，亦岂非阴德之报邪？

唐柳氏[11]家法："居官不奏祥瑞[12]，不度僧道，不贷赃吏法。"此今日士大夫居官者之法也。宋包拯[13]戒子孙："有犯赃者，不得归本家[14]，死不得葬大茔[15]。"此今日士大夫教子孙者之法也。

【注释】

①袁安：字邵公，东汉大臣。明帝时任河南尹，政令严明、断狱公平。

②政号：政治号令。

③鞫(jū)：审问犯人。引文见《后汉书》卷七五《袁安传》。

④口实：话柄，谈话的依据。

⑤姑息：苟且求安，无原则地宽恕别人。

⑥纽：比喻事物的根本、关键。

⑦敝：通"弊"，弊病。

⑧一家哭何如一路哭：范仲淹担任参知政事，决心澄清吏治。他翻阅登记各路监司的簿册时，凡是遇到庸官、贪官的，都一笔勾之。枢密使富弼劝阻说："您是一笔就勾掉了，人家一家人都会哭吧？"范仲淹回答："一家哭总好过一路百姓哭。"

⑨阴德：指不被人知道的德行，也称阴功，阴骘。

⑩仁：《晦庵先生朱文公文集》卷四五《答廖子晦》作"能"。

⑪柳氏：柳公绰(763—832)，字宽，又字起之，举贤良方正，官至兵部尚书，为人耿介，有大臣节。柳公绰治家严谨，家风良好。《旧唐

书》卷一六五《柳公绰传》:"言家法者,世称柳氏云。"

⑫祥瑞:吉祥的征兆。

⑬包拯(999—1062):字希仁,北宋大臣,仁宗时授龙图阁直学士,历知开封府。廉洁公正,立朝刚毅,赠谥"孝肃"。

⑭本家:同宗同姓者,此处指包氏家族。

⑮大茔(yíng):宗族墓地。此处引文见《宋史》卷三一六《包拯传》。

【译文】

《后汉书》称袁安"任河南尹时,政策号令严明,从未曾以贪污罪审讯人"。这成为持律法应宽厚观点的人所凭借的依据。就我所见,数十年来迁就纵容的政策,纲纪松弛,都是这种言论遗留下的弊病呀。唉!范文正有言:"一家哭怎比得上一路百姓哭呢!"

朱子说:"近代流俗,被积阴德的观点迷惑,人们多以放纵有罪为仁。"这就和帝王以赦免当作仁一样。孙叔敖斩杀两头蛇而官至楚国宰相,这难道也是积阴德的因果报吗?

唐柳公绰家法规定:"做官不向上奏报吉祥征兆,不周济僧道,不给贪官赎罪。"这是今天士大夫做官的准则。宋代包拯告诫子孙:"有贪污的,不得归入本家,死后不得葬入宗族墓地。"这是今日士大夫教育子孙的原则。

【题解】

《贵廉》选自《日知录》卷十三。汉武帝以前,没有以钱赎罪的规定,后期,武帝自以为功绩盛大,于是放纵欲望。费用不足,便用财物赎罪、钱粮买官的方式获取费用,使奢侈之风盛行,吏治混乱,百姓贫困。而明朝的情况比汉武帝时期更为严重,顾炎武引用贡禹对汉元帝的荐言,指出想要振兴社会,使天下太平,就应该废除赎罪之法。

贵 廉

【原文】

汉元帝时,贡禹[1]上言:“孝文皇帝[2]时,贵廉洁,贱贪污,贾人赘婿及吏坐赃者皆禁锢[3],不得为吏。赏善罚恶,不阿亲戚[4]。罪白者[5]伏其诛,疑者以与民[6],师古曰:“罪疑惟轻也。”**亡赎罪[7]之法。**亡,无同。**故令行禁止,海内大化。天下断狱四百,与刑错[8]亡异。武帝始临天下,尊贤用士,辟地广境数千里,自见功大威行,遂从耆欲[9]。用度不足,乃行一切之变[10],使犯法者赎罪,入穀者[11]补吏,是以天下奢侈,官乱民贫,盗贼并起,亡命者众。郡国恐伏其诛,则择便巧史书[12]、习于计簿[13]、能欺上府者,以为右职[14]。**师古曰:“上府谓所属之府。右职,高职也。”**奸轨不胜[15],则取勇猛能操切[16]百姓者,以苛暴威服下者,使居大位,故亡义而有财者显于世,欺谩[17]而善书者尊于朝,悖逆[18]而勇猛者贵于官。故俗皆曰:‘何以孝弟为?财多而光荣。何以礼义为?史书而仕宦。何以谨慎为?勇猛而**

临官。'故黥劓而髡钳者[19]，犹复攘臂为政于世[20]。行虽犬彘[21]，家富势足，目指气使，是为贤耳。师古曰："动目以指物，出气以使人。"故谓居官而置富者为雄杰，处奸而得利者为壮士。兄劝其弟，父勉其子，俗之败坏，乃至于是。察其所以然者，皆以犯法得赎罪，求士不得真贤，相守崇财利，师古曰："相，诸侯相也。守，郡守也。"诛不行之所致也。今欲兴至治，致太平，宜除赎罪之法。相守选举不以实及有赃者，辄行其诛，亡但[22]免官。则争尽力为善，贵孝弟，贱贾人，进真贤，举实廉，而天下治矣。"呜呼，今日之变有甚于此！自神宗以来，赎货之风日甚一日，国维[23]不张，而人心大坏，数十年于此矣。《书》曰："不肩好货[24]，敢恭生生[25]，鞠人谋人之保居[26]，叙钦[27]。"必如是，而后可以立太平之本。

禹又欲令"近臣自诸曹、侍中以上[28]，家亡得私贩卖，与民争利，犯者辄免官削爵，不得仕宦"。此议今亦可行。自万历以后，天下水利、碾磑[29]、场渡[30]、市集无不属之豪绅，相沿以为常事矣。

【注释】

①贡禹（前 124—前 44）：字少翁，以品行端正被征为博士，任凉州刺史，汉元帝时迁御史大夫。

②孝文皇帝：汉文帝刘恒（前 202—前 157）。

③贾（gǔ）人：商人。古代称贩运的人为行商，称开店摆摊的为坐贾，后来通指商人。赘婿：入赘的女婿。禁锢：指禁止做官或参加政治活动。

④阿(ē):偏袒。

⑤罪白者:指犯罪证据确凿的人。白,明白,清晰。

⑥疑:指罪过不确切的。以与民:公之于众。

⑦赎罪:指用财物来抵消罪过或免除刑罚。

⑧刑错:不用刑。错,通“措”,弃置。

⑨从(zòng)耆(shì)欲:放纵自己的欲望。从,通“纵”。耆,通“嗜”。

⑩行一切之变:指为权宜之计改变旧有的制度。

⑪入穀(gǔ)者补吏:指交纳一定谷物的人可以补为官吏。穀,粮食的总称。

⑫便巧史书:指熟悉并善于舞文弄法。

⑬计簿:记载人事、户口、赋税的簿籍。

⑭右职:即下文师古所说的高官。古代尊右抑左,以右为上。

⑮奸轨:指为非作歹之人,奸诈邪恶之事。胜:尽,完。

⑯操切:胁迫,威胁。

⑰欺谩:欺骗。

⑱悖逆:违反正道,犯上作乱。

⑲黥(qíng):墨刑,用刀刺人面额再用墨涂染。劓(yì):割鼻的刑罚。髡(kūn):古代剃去男子头发的一种刑罚。钳(qián):古代用铁圈束颈、手、足的刑罚。

⑳攘臂:捋起袖子,伸出胳膊,形容激动兴奋的样子。

㉑彘(zhì):猪。

㉒亡但:不但,不仅仅是。

㉓国维:国家法度纲纪。

㉔肩:任用。好货:贪爱财物的人。

㉕敢:能。恭:此处指举用。生生:指为百姓经营谋利的人。

㉖鞠：抚养。谋：经营。保居：安居。

㉗叙：依照次序。钦：敬。此处引文见《尚书·盘庚下》。

㉘曹：指各部官员。侍中：官名，秦时设置，汉朝加为官，凡是列侯及文武官员加此头衔的，都可以出入宫廷，亲近皇帝。最初掌管乘舆服饰，后渐渐参与朝政。

㉙碾硙（niǎnwèi）：指研磨行业。碾，把东西轧碎或压平。硙，同“碨”。切磨，磨碎。

㉚场渡：指运输。

【译文】

汉武帝时，贡禹进言说：“孝文皇帝时，崇尚廉洁，鄙视贪污。商贾之人、入赘之婿以及官吏中有贪污行贿的，都不得为官。奖赏善行，惩罚恶人，不偏袒亲戚。证据确凿的按律惩罚，罪证不确的公之于众，（颜师古说：“犯有可疑轻罪的。”）没有赎罪的规定。（亡，同无。）所以令行禁止，天下大治。全天下审理和判决的案件四百起，这与放弃刑罚不用没什么区别。武帝即位之初，尊重贤才，任用士人，开疆扩土数千里，他自以为功绩盛大，威望很高，于是开始放纵自己的欲望。费用不足，就变更各种旧有制度，使得犯法的人能用财物赎罪，交纳一定谷物的可以补为官吏。于是，天下奢侈之风盛行，吏治混乱，百姓贫困，盗贼蜂起，亡命之徒增多。各郡国官吏担心祸殃及身，所以善于舞文弄法，熟悉赋税簿籍、善于巧言蒙骗上级官府。（师古说：“上府为官吏所属的机构。右职，指高官。”）为非作歹之事层出不穷，就任用凶狠而能够威胁百姓的人，任用以暴虐手段胁迫人屈服的人，使他们身居要职。所以无义而有财的人显赫于世，欺诈而善书的人尊贵于朝廷，悖逆而凶狠的人显达于仕途。所以，民间流传这样的话：'要孝悌有何用？钱多就光荣。要礼义有何用？善于作文就能显贵。要谨慎有何用？凶狠暴虐就能做官。'于是，受过黥、劓、髡、钳等刑罚的人，也在世间奋起参政。言行虽同猪狗，但家庭富裕、势力强大，颐指气使，这就是所谓的贤能之人。（师古说："动一下眼睛就可以指物，嘘一声气就可以支使人。"）于是称因做官而致富的人为英雄豪杰，称因奸诈而获利的人为壮勇之士。哥哥以这般劝勉弟弟，父亲以这般鼓励儿子，社会风俗败坏，已经到了如此地步。考察其原因，都是因犯法却允许拿钱赎罪，难以求得真正的贤能之士，郡国官吏贪图钱财私利，（师古说："相，指诸侯国的相。守，指各郡郡守。"）诛罚措施施行不力导致的。如今想要振兴社会，使天下太平，就应该废除赎罪之法。诸侯国相和郡守选拔举荐人才情况不属实，以及有贪赃受贿行为的，坚决诛杀，不能仅仅免除官位。这样一来，人人争相为善，推崇孝悌，唾弃奸商，进选真正贤能之人，推荐真正廉洁之士，天下才能得以大治。"唉，如今的变化比这更加恶劣！自神宗以来，以财物赎罪的风气一日比一日严重，国家法度纲纪不得实行，人心大坏，数十年间都是如此。《尚书》说："不任用贪恋财物的人，任用为百姓谋生活的人。凡是能养育民众，设法使民众安居乐业的，会按照功绩大小提升他们。"只有这样，才能够从根本上确保太平盛世。

贡禹又想使"近臣自各部官员、侍中以上，不得私自贩卖货物，与民争利，凡是违犯的免除官位，削去爵位，不得再入仕途"。这种方法现今也能实行。自万历以后，天下水利、研磨行业、场渡、市集，没有不被豪绅控制的，沿袭下来便成了常见之事。

【题解】

《著书之难》选自《日知录》卷十九。顾炎武在此篇小短文里探讨的是著书的价值及永久性问题。在他看来，先秦诸子之书之所以能流传后世，是因为这些书都有独立的思想，能自成体系。所以著书之难，难于写古人未曾涉及，又为后世不可缺少的书。《资治通鉴》《文献通考》之所以为后世之不可或缺的书，是因为它们是司马光、马端临竭尽毕生精力完成的，因而著书之难，也难于要集毕生之所学、竭毕生之精力。因此，要著好书，撰经典之书，不得不每日勤勉，孜孜不倦，不得不忘记身体衰老，年岁不足，同时不为名利所动。

著书之难

【原文】

子书① 自《孟》《荀》② 之外，如《老》③《庄》④《管》⑤《商》⑥《申》⑦《韩》⑧，皆自成一家言。至《吕氏春秋》《淮南子》⑨，则不能自成，故取诸子之言，汇而为书，此子书之一变也。今人书集，一一尽出其手，必不能多，大抵如《吕览》《淮南》之类耳。其必古人之所未及就，后世之所不可无，而后为之，庶乎⑩ 其传也与？

【注释】

①子书：指先秦诸子的书。

②《孟》：《孟子》，战国时期孟子的言论汇编集，儒家经典著作。《荀》：《荀子》，记录战国时期荀子及其学派思想的著作。

③《老》:《老子》,也称《道德经》《道德真经》《五千言》《老子五千文》等,战国时期老子李聃的哲学著作,道家思想的开宗典籍。

④《庄》:《庄子》,又称《南华经》,为战国时期庄周及其门人、后学所撰作,道家经典著作。

⑤《管》:《管子》,旧题管仲撰,实为战国时期齐地学者的著述总集,记录管仲及其学派言论的文章汇编集。

⑥《商》:《商君书》,旧题商鞅撰,记载商鞅思想言论的资料汇编集,战国时期法家学派代表著作。

⑦《申》:《申子》,传为战国时期法家学派申不害撰,今已失传,清马国翰《玉函山房辑佚书》有《申子》辑本。

⑧《韩》:《韩非子》,收战国时期法家集大成者韩非及其他法家人物的文章。

⑨《吕氏春秋》:又称《吕览》,是战国时期秦国宰相吕不韦及其门客集体编纂的一部杂家著作。《淮南子》:又名《淮南鸿烈》《刘安子》,由西汉淮南王刘安及其门客编纂,与《吕氏春秋》并称古代杂家名著。

⑩庶乎:差不多,几乎。

【译文】

子书除了《孟子》《荀子》外,像《老子》《庄子》《管子》《商君书》《申子》《韩非子》都能自成一家之言。至于《吕氏春秋》《淮南子》,则不能自成一家之言,所以选取诸子的言论,汇集成书,这是子书的一大变化。今人的书和集,全部都出自本人之手的必然不是很多,大多如同《吕氏春秋》《淮南子》一样是汇编而成的。一定是古人没有触及,又为后代不可或缺,然后才著述,这才差不多可以传世吧?

【原文】

宋人书如司马温公[①]《资治通鉴》[②]、马贵与[③]《文献通考》[④]，皆以一生精力成之，遂为后世不可无之书。而其中小有舛漏[⑤]，尚亦不免。若后人之书愈多而愈舛漏，愈速而愈不传，所以然者，其视成书太易，而急于求名故也。

伊川先生[⑥]晚年作《易传》[⑦]成，门人请授，先生曰："更俟[⑧]学有所进。子不云乎：'忘身之老也，不知年数之不足也，俛焉日有孳孳[⑨]，毙而后已[⑩]。'"

【注释】

①司马温公：司马光(1019—1086)，字君实，陕州夏县(今属山西)人，北宋时期著名的政治家、史学家、散文家，死后追封温国公，所以后人称其为司马温公。

②《资治通鉴》：司马光主持编纂的一部编年体史学巨著，记载了从战国到五代共1362年的史实。

③马贵与：马端临(约1254—1323)，宋元之际著名的历史学家，贵与是马端临的字。

④《文献通考》：古代政书，马端临撰，记录了上古到南宋时期的典章制度。

⑤舛(chuǎn)：错乱。漏：脱漏，遗漏。

⑥伊川先生：程颐(1033—1107)，北宋著名的理学家和教育家。伊川，地名，在今河南省洛阳伊川县，程颐晚年居于此，人称伊川先生。

⑦《易传》：此处指《伊川易传》，又名《周易程氏传》，为程颐解释《易经》的一部著作，是宋代理学标志性著作。

⑧俟(sì):等,等待。

⑨俛(miǎn):通"勉",勤勉。孳(zī)孳:勤勉,孜孜不倦。

⑩毙而后已:直到死了才停止。已,停止。孔子此句出自《礼记·表记》。

【译文】

宋人著作如司马光的《资治通鉴》、马端临的《文献通考》,都是作者用一生的精力写成的,因而成为后世视作经典的书籍。即便其中稍微有些错误脱漏,也是难免的。至于后人的书,数量越多而错误脱漏越多,著书越快而越不能流传。之所以如此,是他们把著书看得太容易,太急功近利的缘故。

伊川先生晚年写成《易传》,门人请求传授,先生说:"等自己学问有所长进时再传授。孔子不是说过吗:'忘了自己身体衰老,不知道年岁不足用了,每天孜孜努力,直到死了才肯罢休。'"

【题解】

《直言》选自《日知录》卷十九。此篇短文，顾炎武侧重突出当政者虚心纳谏的重要性。显达居于上位的人，应该听取百姓意见，虚心接受下层官吏的直言劝谏，并用实际行动解救百姓。穷困居于下位的人，应该写文章反映民间疾苦，这是文人的职责。顾炎武列举了郑子产、汉文帝、元德秀与白居易等人的历史故实，以佐证他的论点。此外，顾炎武从《诗经》进行梳理，指出古人直言劝谏的风俗渊源深厚。这篇短文是顾炎武对任职者直言劝谏、统治者虚心纳谏的期盼，也是他对发扬民主、提倡舆论自由的向往。

直　言

【原文】

张子有云："民吾同胞。"① 今日之民，吾与达而在上位者之所共也。救民以事，此达而在上位者之责也；救民以言，此亦穷而在下位者之责也。

"天下有道，则庶人不议。"② 然则政教风俗苟非尽善，即许庶人之议矣。故《盘庚》之诰③曰"无或敢伏小人之攸箴"④，而国有大疑，卜诸庶民之从逆。⑤ 子产不毁乡校⑥，汉文止辇受言⑦，皆以此也。唐之中世，此意犹存。鲁山令元德秀遣乐工数人连袂歌《于蔿》，玄宗为之感动⑧；白居易为盩厔⑨尉，作乐府及诗百余篇，规讽时事，流闻禁中⑩，宪宗召入翰林。亦近于陈列国之风⑪，听舆人之诵者矣⑫。

【注释】

①张子：张载，北宋理学家。民吾同胞：出自张载《西铭》，全句为“民吾同胞，物吾与也”，意思是百姓都是我的同胞，万物都是我的朋友。

②“天下有道”二句：出自《论语·季氏》，意思是国家治理有方，百姓不会议论纷纷。庶人，与下文“庶民”同指无官爵的平民，百姓。

③《盘庚》之诰：《尚书·盘庚》文体为诰，即帝王任命或封赠的文书，所以称《盘庚》之诰。

④无或敢伏小人之攸(yōu)箴(zhēn)：不要塞抑小民对居上位者的劝谏。伏，抑制，堵塞。攸箴，劝谏，劝告。攸，放在动词前面，构成名词性词组，相当于“所”。

⑤“而国有大疑”二句：国家有重大疑难问题，百姓的态度是拥护还是反对，都要对其进行占卜。从，服从。逆，反对。

⑥子产不毁乡校：见《左传·襄公三十一年》，郑国人喜欢在乡校议论朝政，郑国大夫建议子产毁掉乡校，子产不同意。这是子产对舆论自由的开明态度，是顾炎武所推崇的。子产，春秋时期郑穆公之孙，首次将刑法公之于众，是郑国有名的政治家，被清王源推为“春秋第一人”。乡校，古代学校，既为教学之所，也是乡人聚会议事之处。

⑦汉文止辇受言：见《汉书》卷四九《袁盎传》。汉文帝每次上朝时，中途遇到朝官上书言事，他都命人停下辇车虚心纳谏。

⑧“鲁山令元德秀”二句：见《新唐书》卷一九四《元德秀传》。唐玄宗在洛阳时，曾在五凤楼下命令三百里县令、刺史带声乐优伶参加聚会，举行音乐比赛。河内太守拉来数百名优伎，身披锦绣，光彩华丽。而鲁山县令元德秀只带了数十名乐工，联袂合唱《于蒍于》，玄

宗听了大为赞赏，说是贤人的言论。玄宗得知河内百姓处于水深火热之中，于是罢免了河内太守。《于蒍》，即《于蒍于》，元德秀创作的歌曲。

⑨盩厔（zhōuzhì）：县名，今陕西周至。

⑩禁中：旧称天子居住的地方。

⑪风：民歌，歌谣。古代有采风，即采集民情风俗，尤其是搜集地方民歌民谣。

⑫舆人：造车的人，此处指职位低微的吏卒。

【译文】

张载曾说："百姓都是我的同胞。"今天的百姓，是我与显达而居于上位的人所共有的同胞。以实际行动解救百姓，是显达而居于上位者的责任；用有影响力的言论解救百姓，是穷困而居于下位者的责任。

"国家治理有方，百姓便不会议论纷纷。"既然这样，那么只要政治与教化、风俗与习惯不是尽善尽美，就应允许百姓有所议论。所以《盘庚》里的诰文说"不要塞抑小民对居上位者的劝谏"。当国家遇到重大疑难时，应该对民众是服从还是反对进行占卜。子产不同意毁掉乡校，汉文帝停下车辇虚心纳谏，都是根据这个行事。到唐代中期，这种风气依旧存在。鲁山县令元德秀命令乐工联合唱《于蒍于》，唐玄宗听后很是感动；白居易当盩厔县令时，写了百多篇乐府和诗歌，规劝讽喻时事。这些乐府和诗歌流传到皇城，宪宗召白居易入翰林院。这都跟陈列各诸侯国的民歌民谣，听职位低微的吏卒所作的诗歌相似。

【原文】

《诗》之为教，虽主于温柔敦厚[①]，然亦有直斥其人而不讳[②]者。如曰“赫赫师尹，不平谓何”[③]；如曰“赫赫宗周，褒姒灭之”[④]；如曰“皇父卿士，番维司徒，家伯家宰，仲允膳夫，聚子内史，蹶惟趣马，楀惟师氏，艳妻煽方处”[⑤]；如曰“伊谁云从，维暴之云”[⑥]，则皆直斥其官族名字，古人不以为嫌也。《楚辞·离骚》：“余以兰为可恃兮，羌无实而容长。”[⑦]王逸《章句》：“谓怀王少弟司马子兰。”[⑧]“椒专佞以慢慆兮。”[⑨]《章句》：“谓楚大夫子椒。”洪兴祖《补注》：“《古今人表》有令尹子椒[⑩]。”如杜甫《丽人行》：“赐名大国虢与秦。”“慎莫近前丞相嗔。”[⑪]近于《十月之交》诗人之义矣。

孔稚珪《北山移文》[⑫]，明斥周颙；刘孝标《广绝交论》，阴讥到溉[⑬]。袁楚客规魏元忠，有十失之书[⑭]；韩退之讽阳城，作争臣之论[⑮]。此皆古人风俗之厚。

【注释】

①《诗》之为教：《诗经》的教化作用。温柔敦厚：态度温和，朴实厚道。

②讳：有顾忌不敢说或不愿说。

③赫赫师尹，不平谓何：出自《诗经·小雅·节南山》，意思是权势显赫的太师尹氏，执政不公是为何。

④赫赫宗周，褒姒灭之：出自《诗经·小雅·正月》，意思是繁荣昌盛的周王室，亡于褒姒之手。

⑤“皇父卿士，番维司徒”七句：出自《诗经·小雅·十月之交》，意思是皇父是卿士，番氏是司徒，家伯为太宰，仲允为膳夫，聚子当内

史，蹶氏当趣马，楀氏任太师，褒姒伙同他们权势正盛。言外之意即周王朝之所以发生日食、地震等灾难，是因为内有艳妻蛊惑大王，外有小人主事。

⑥伊谁云从，维暴之云：出自《诗经·小雅·何人斯》，意思是试问他听谁的话，暴公说什么他都信。一说这是苏公写给暴公的政治绝交诗，苏公、暴公都是周天子卿士。一说此诗是女子在指斥丈夫狂暴薄幸，弃妻子于不顾。

⑦余以兰为可恃兮，羌无实而容长：我以为兰草可以依靠啊，谁知道它华而不实空有其表。

⑧王逸：字叔师，东汉著名文学家，其所著《楚辞章句》是《楚辞》最早的完整注本。谓怀王少弟司马子兰：王逸的意思是“余以兰为可恃兮，羌无实而容长”一句中的兰花暗指怀王的弟弟司马子兰。

⑨椒专佞(nìng)以慢慆(tāo)兮：香椒变得专横奸佞，傲慢放纵啊。慢慆，怠慢放松。

⑩洪兴祖：字善庆，宋朝人，著有《楚辞补注》。《古今人表》：《汉书》的最后一篇。子椒：战国时期楚国人，生卒年不详，楚怀王宠臣之一，官至令尹，向楚怀王进谗言，致使屈原遭受排挤和陷害。

⑪赐名大国虢与秦：指唐玄宗赐杨贵妃的两个姐姐虢国夫人与秦国夫人。慎莫近前丞相嗔：莫要靠近杨家，以免丞相发怒斥人。丞相，此处指杨国忠。这两句是对杨贵妃兄弟姐妹气焰嚣张、权势欺人的讽刺。

⑫孔稚珪：字德璋，南朝齐国文学家。《北山移文》：孔稚珪最著名的骈文，该文以北山山灵的口吻，讽刺当时名士周颙故作高蹈却又醉心名利。

⑬刘孝标：即南朝梁国文学家刘骏，孝标是刘骏的字。《广绝交论》：

刘骏曾路遇南朝名臣任昉的儿子西华，听闻任昉死后，他曾接济的人没有一个人愿意对四个身处困境的儿子伸出援手，因而对人情浇薄、世态炎凉激愤不已，写下了这篇《广绝交论》。到溉：字茂灌，南朝梁国文学家，是刘骏旧友。刘孝标写《广绝交论》也有讥讽其好友到溉的意思。刘璠《梁典》记载，到溉看到这篇《广绝交论》，"抵几于地，终身恨之"。

⑭"袁楚客规魏元忠"二句：事见《新唐书》卷一二二《魏元忠传》。魏元忠，唐朝政治家，辅佐武则天时以清明传世，至唐中宗时不能赏善罚恶，名誉大减。陈郡的袁楚客寄书信指出朝廷的十大不足，以劝谏魏元忠，魏元忠收到此信后，羞愧不已。

⑮"韩退之讽阳城"二句：谏议大夫阳城任职后，与弟弟及门客日夜痛饮，五年不上谏，韩愈作《争臣论》讽刺他在其位而不尽其责。韩退之：韩愈(768—824)，唐代杰出的文学家、思想家、哲学家、政治家，世称"韩昌黎""昌黎先生"，退之为韩愈的字。

【译文】

《诗经》的教化作用，虽然以温柔敦厚为主，但是《诗经》中也有直接斥责人而没有顾忌避讳的诗歌。如"权势显赫的太师尹氏，执政不公是为何"，如"繁荣昌盛的周王室，亡于褒姒之手"，如"皇父是卿士，番氏是司徒，家伯为太宰，仲允为膳夫，棸子当内史，蹶氏当趣马，楀氏任太师，褒姒伙同他们权势正盛"，如"试问他听谁的话，暴公说什么他都信"，这些都是直接指名道姓进行斥责，古人并不为他们避嫌。《楚辞·离骚》说："我以为兰草可以依靠啊，谁知道它华而不实空有其表。"王逸《楚辞章句》："这句话说的是怀王的弟弟司马子兰。"《楚辞·离骚》说："香椒变得专横奸佞，傲慢放纵啊。"王逸《楚辞章句》：

“这说的是楚国大夫子椒。”洪兴祖《楚辞补注》:“《汉书·古今人表》中有担任令尹名叫子椒的人。”再如杜甫《丽人行》:“赐杨贵妃姐妹大国之名虢国夫人与秦国夫人”,“莫要靠近杨家,以免丞相发怒斥人”,与《十月之交》诗人所要表达的讽刺之义很接近。

孔稚珪《北山移文》,明斥周颙故作高蹈却又醉心名利;刘孝标《广绝交论》,暗讽到溉忘恩负义。袁楚客劝谏魏元忠,献上一封关于朝政十失的书信;韩愈讽刺阳城,写了《争臣论》一文。这都反映了古人深厚的劝谏之风。

【题解】

《文人之多》选自《日知录》卷十九。顾炎武作为明朝遗民，不忘故国的同时，时常反思明末朝政之失误。除了批判晚明党争不断、制度废弛，他还认为文人过多也是明朝衰败的根由和征兆。晚明文人多以文自命，却不识经术，不通古今；或者虽通文字，却不识经训，致使文坛形成华而不实的风气，文人应承担的修身齐家治国平天下的道德使命旁落。

文人之多

【原文】

唐宋以下，何文人之多也！固有不识经术①，不通古今，而自命为文人者矣。韩文公《符读书城南》②诗曰："文章岂不贵，经训乃菑畬③。潢潦无根源，朝满夕已除④。人不通古今，马牛而襟裾⑤。行身陷不义，况望多名誉。"而宋刘挚⑥之训子孙，每曰："士当以器识为先，一号为文人，无足观矣。"⑦然则以文人名于世，焉足重哉。此扬子云⑧所谓"摭我华，而不食我实"⑨者也。

【注释】

①经术：以经书为主要研究对象的学术。一作经传。

②韩文公：韩愈，字退之，唐代杰出的文学家、思想家、哲学家，韩愈谥号文公，故称韩文公。《符读书城南》：韩愈用来训示他儿子韩符的文章。

③菑畲(zīshē):耕耘。耕稼是民生之本,故菑畲喻指事物的根本。

④潢潦(huánglǎo)无根源,朝满夕已除:地上的流水是没有根源的,早晨满地水晚上就已经干涸了。潢潦,地上的流水。

⑤人不通古今,马牛而襟裾:人如果不通晓古今,就如同牛马穿着人的衣服。襟裾,衣的前襟或后襟,泛指衣服。

⑥宋挚:字莘老,宋朝人,一生刚正不阿,忠贞爱国,被追赠为"元祐忠贤",有《忠肃集》传世。

⑦"士当以器识为先"三句:出自《宋史》卷三四〇《刘挚传》,意思是读书人应该以器量见识为首要,一旦被称为文人,就没有什么值得赞赏的了。器识,器量见识。

⑧扬子云:扬雄,西汉著名文学家,著有《法言》。子云是扬雄的字。

⑨摭(zhí)我华,而不食我实:出自《法言·问明》,意思是摘取我华丽的文辞而没有精研我的义理。摭,摘取,拾取。华,同"花",花朵,此处指华丽的文辞。实,果实,此处指扬雄文辞背后的义理。

【译文】

唐宋以来,文人何其多!一定有不懂经学,不通古今,而自命为文人的人。韩愈《符读书城南》一诗说:"文章难道不贵重吗?经义解说是根本。地上流水无根源,早晨还是满地,到晚上就已经干涸。人如果不通古今,就如同牛马穿着人的衣服。行事立身陷于不义,怎能渴望那么多名誉。"宋朝刘挚训诫子孙,常说:"读书人应该以器量见识为首要,一旦被称为文人,就没有什么值得赞赏的了。"既然这样,那么以文人身份在世上闻名,哪里值得称道呢。这就是扬雄所说的"摘取我华丽的文辞而不精研我的义理"。

【原文】

黄鲁直[①]言："数十年来，先生君子但用文章提奖后生，故华而不实。"[②]本朝嘉靖以来亦有此风，而陆文裕[③]所记刘文靖告吉士之言[④]，空同大以为不平矣[⑤]。《宋史》言：欧阳永叔与学者言，"未尝及文章，惟谈吏事。谓文章止于润身，政事可以及物"。[⑥]

【注释】

①黄鲁直：黄庭坚，号山谷道人，北宋著名文学家，江西诗派开山之祖。鲁直是黄庭坚的字。

②"数十年来"三句：出自《山谷全集·别集》卷一八《与洪氏四甥书》，意思是数十年来，先生君子只是用文章提拔奖掖后学，所以华而不实。

③陆文裕：陆深，字子渊，明代文学家、书法家，著有《停骖录》。文裕为陆深的谥号。

④刘文靖：刘健，字贤希，明代洛阳人。文靖是刘健的谥号。

⑤空同：李梦阳，字献吉，自号空同子，明代文学家。李梦阳能诗擅文，与何景明等人共同倡导复古文学运动，明代"前七子"之一，有《空同子集》。

⑥《宋史》言……：见《宋史》卷三一九《欧阳修传》，意思是欧阳修与学人谈论时，未曾提及学术文章，只谈朝政之事，说文章只能修养自身，政事可以接触社会现实。

【译文】

黄庭坚说："数十年来，先生君子只是用文章提拔奖掖后学，所以华而不实。”本朝嘉靖年间以来也有这样的风气，而陆深记载的刘文靖告诫庶吉士的言论，李梦阳对此大为不平。《宋史》说，欧阳修与学者谈论时，“未曾提及文章学术，只谈官场朝政之事，说文章只能修养自身，政事可以接触社会现实”。

【题解】

《文人摹仿之病》选自《日知录》卷十九。摹仿，是学作文写诗的必经途径，但要使作品得以传世，还要在摹仿的基础上，取其精华而又有所创新。创新更重要地在于立意上别出机杼，笔力的驰骋自得。顾炎武历数古来文人摹仿的失败作品，指出《礼记·曲礼》中"毋勦说，毋雷同"是古人立言之根本。

文人摹仿之病

【原文】

近代文章之病，全在摹仿。即使逼肖古人，已非极诣[①]，况遗其神理而得其皮毛者乎？且古人作文，时有利钝，梁简文《与湘东王书》[②]云："今人有效谢康乐、裴鸿胪[③]文者，学谢则不届其精华，但得其冗长[④]，师裴则蔑弃其所长，惟得其所短。"宋苏子瞻[⑤]云："今人学杜甫诗，得其粗俗而已。"叶水心[⑥]言："庆历、嘉祐以来，天下以杜甫为师，始绌[⑦]唐人之学，谓之江西宗派[⑧]。"**金元裕之[⑨]诗云："少陵自有连城璧[⑩]，争奈微之识碔砆[⑪]。"夫文章一道，犹儒者之末事，乃欲如陆士衡[⑫]所谓"谢朝华于已披，启夕秀于未振"[⑬]者，今且未见其人，进此而窥著述之林，益难之矣。**

效《楚辞》[⑭]者，必不如《楚辞》；效《七发》[⑮]者，必不如《七发》。盖其意中先有一人在前，既恐失之，而其笔力复不能自遂，此寿陵馀子学步邯郸之说也。

【注释】

①诣(yì):造诣,学业或技艺所达到的程度。

②梁简文:梁简文帝萧纲,字世缵,南北朝时期梁朝皇帝、文学家。《与湘东王书》:梁简文帝写给其弟弟萧绎的书信,见《梁书》卷四九《虞肩吾传》,萧绎初封湘东郡王,后称帝,即梁元帝,平生著述亦甚丰富。

③谢康乐:谢灵运,原名公义,以字行于世,南朝诗人,开创山水诗派,东晋时世袭为康乐公,世称谢康乐。裴鸿胪:裴松之,官至鸿胪卿,南朝宋著名史学家、文学家,与儿子裴骃、曾孙裴子野被称为史学三裴。

④届:达到,极尽。冗长:文字芜杂繁多。

⑥叶水心:叶适,字正则,号水心居士,南宋思想家、文学家,世称水心先生。

⑦绌(chù):同"黜"。罢免,革除。

⑧江西宗派:即北宋时期以黄庭坚、陈师道为首的江西诗派。江西诗派以杜甫为祖,主张在意境、典故、语言上向古人借鉴,经过自己的熔铸改造,变化形容,推陈出新。以此数句出自叶适所撰《徐斯远文集序》

⑨元裕之:元好问,工诗文,为金时文坛盟主,裕之为元好问的字。

⑩少陵:本汉宣帝许后墓,杜甫曾寓居于此地,并自号少陵野老,后人因称它为杜少陵。连城璧:价值连城的碧玉,比喻极为宝贵的东西,典出《史记·廉颇蔺相如列传》。

⑪微之:元稹,唐代大诗人,与白居易齐名,并称"元白",微之是元稹的字。碔砆(wǔfū):像玉的石头,亦作"珷玞""碱玞"。这两句诗的意思是元稹没有真正认识到杜甫诗歌的价值与益处。

⑫陆士衡：陆机，西晋著名文学家、书法家，与其弟陆云合称“二陆”，士衡为陆机的字。

⑬“谢朝华于已披”二句：出自陆机《文赋》。谢，去掉。朝华，早晨的花朵，“华”通“花”。已披，已经绽放的。意思是早晨绽放的花朵已凋谢，傍晚含苞的蓓蕾欲开放，言外之意即摒弃前人已经用过的辞意，创作别出新意的文章。

⑭《楚辞》：战国时期楚国文学家屈原、宋玉等人的作品汇编，为中国文学史上第一部浪漫主义诗歌总集。

⑮《七发》：西汉辞赋家枚乘创作的一篇文章，以七件事讽喻太子，所以名《七发》，旨在劝诫梁朝子弟不要过分沉溺于安乐。

【译文】

近代文章的弊病，全在模仿。即使模仿得跟古人作品很相似，也不能极尽其造诣，何况那些失去神理而仅得些皮毛的作品呢！而且古人作文，时有好坏。梁简文帝《与湘东王书》：“今人有效仿谢灵运、裴松之文章的。学谢灵运的不能极尽他的精华，仅仅学到了他的冗长；学裴松之的蔑视摒弃他所擅长的，只学到了他的短处。”宋代苏轼说：“今人学杜甫的诗歌，学到的只有他的粗俗而已。”金人元好问的诗说：“杜甫自有价值连城的璧玉，怎奈元稹只识得像玉的碔砆。”文章这一道，只是儒者的末事，想如陆机所说的“早晨绽放的花朵已凋谢，傍晚含苞的蓓蕾欲开放”的，至今都没有见到这样的人，能够如此而窥得著述之林，就更加困难了。

效仿《楚辞》的，必定不如《楚辞》；效仿《七发》的，必定不如《七发》。这当是他们心目中有一人在前，既担心仿效得不像，而笔力又不能自我驾驭，这正如寿陵少年邯郸学步一般。

【原文】

洪氏《容斋随笔》[1]曰:"枚乘[2]作《七发》,创意造端[3],丽辞腴旨[4],上薄骚些[5],故为可喜。其后继之者,如傅毅[6]《七激》、张衡[7]《七辩》、崔骃[8]《七依》、马融[9]《七广》、曹植[10]《七启》、王粲[11]《七释》、张协[12]《七命》之类,规仿太切,了无新意。傅玄[13]又集之,以为《七林》,使人读未终篇,往往弃之几格[14]。柳子厚[15]《晋问》乃用其体,而超然别立机杼[16],激越清壮[17],汉晋诸文士之弊,于是一洗矣。东方朔[18]《答客难》,自是文中杰出;扬雄[19]拟之为《解嘲》,尚有驰骋自得之妙。至于崔骃《达旨》、班固《宾戏》[20]、张衡《应闲》,皆章摹句写,其病与《七林》同。及韩退之《进学解》出,于是一洗矣。"其言甚当。然此以辞之工拙论尔,若其意则总不能出于古人范围之外也。

如扬雄拟《易》而作《太玄》[21],王莽依《周书》而作《大诰》[22],皆心劳而日拙[23]者矣。《世说》[24]:"王隐[25]论扬雄《太玄》虽妙,非益[26]也,古人谓之屋下架屋[27]。"**《曲礼》之训[28]"毋剿说,毋雷同"[29],此古人立言[30]之本。**

【注释】

①洪氏:洪迈(1123—1202),字景卢,号容斋,南宋著名文学家。《容斋随笔》:是洪迈撰写的关于经史百家、文学艺术以及宋代掌故、人物评价诸方面的笔记,《四库全书总目提要》推其为南宋笔记小说之冠。

②枚乘:生年不详,卒于公元前140年,字叔,西汉辞赋家。

③创意造端:创新意,开门径。造端,开头,发端。

④丽辞腴旨：文辞绚丽，意义丰富。

⑤上薄骚些：上追骚赋。薄，逼近，迫近。骚些，《楚辞》句尾多用“些”字，后人多用骚些代称以《楚辞》为代表的骚赋。

⑥傅毅：生卒年不详，字武仲，东汉辞赋家。

⑦张衡(78—139)：字平子，与司马相如、扬雄、班固并称汉赋四大家，同时也是东汉时期伟大的天文学家、地理学家。

⑧崔骃(？—92)：字亭伯，聪颖过人，博学多才，与班固、傅毅齐名，汉代辞赋家。

⑨马融(79—166)：字季长，博通经籍，东汉时期著名的经学家，不拘儒者礼节。

⑩曹植(192—232)：字子建，三国时魏国文学家，与其父曹操、其兄曹丕合称“三曹”，三人皆为建安文学的代表人物。

⑪王粲(177—217)：字仲宣，东汉末年文学家，“建安七子”之一。

⑫张协(255？—307?)：字景阳，与其兄张载、其弟张亢齐名，时称“三张”，西晋文学家。

⑬傅玄(217—278)：字休奕，西晋哲学家、文学家。

⑭几格：小或矮的桌子以及架子。

⑮柳子厚：柳宗元(773—819)，唐宋八大家之一。子厚为柳宗元的字。

⑯机杼(zhù)：本指纺织机，比喻创作诗文的巧思妙构。

⑰激越：激昂高亢。清壮：清新豪健。

⑱东方朔(前154—前93)：字曼倩，性诙谐滑稽，常讽谏武帝，西汉文学家。

⑲扬雄(前53—18)：字子云，博览群书，温和坦率，清心寡欲，西汉辞赋家、哲学家。

⑳《宾戏》：即《答宾戏》。

㉑《太玄》：即《太玄经》，分八十一首以拟《周易》的六十四卦。

㉒《周书》：《尚书》的一部分。《大诰》：王莽根据《尚书·周书》中的《大诰》改写而成。

㉓心劳而日拙者：指劳心劳力却日益糟糕。

㉔《世说》：即《世说新语》，魏晋南北朝时期刘义庆等人所撰笔记小说，记录魏晋名人轶事、玄言清谈。

㉕王隐：生卒年不详，字处叔，东晋学者，博学多闻。

㉖益：增益，补益。

㉗屋下架屋：在房屋里面构架房屋，比喻模仿而无创新的多余举措。

㉘《曲礼》：《礼记》中的一篇。训：指可作为法则的话或座右铭。

㉙毋剿（chāo）说，毋雷同：出自《礼记·曲礼》。剿说，剽窃他人言论当作自己的。

㉚立言：古人提出立德、立功、立言为三不朽，立德即树立高尚的道德操守，立功即建立伟大的功业，立言即把真知灼见形诸文字。

【译文】

洪迈《容斋随笔》说："枚乘写《七发》，创新意开门径，文辞绚丽意义丰富，上追骚赋，自然可喜。此后继起的，比如傅毅的《七激》、张衡的《七辩》、崔骃的《七依》、马融的《七广》、曹植的《七启》、王粲的《七释》、张协的《七命》之类，模仿得太过真切，没有一点新意。傅玄又汇集这些文章，以成《七林》，让人还没读完全书，就把它抛到几架上去了。柳子厚的《晋问》沿用这种题材，但超然而别出机杼，写得激越清壮，汉晋文士的积病，到此一洗而空。东方朔《答客难》，自然是文章中的杰作；扬雄模拟写成《解嘲》，仍有驰骋自得的妙处，至于崔骃的

《达旨》、班固的《宾戏》、张衡的《应闲》,都是逐章逐句地描写,弊病与《七林》相同。等到韩退之《进学解》写出,又将这些弊病一洗而空了。”这段话说得特别恰当。然而这只是以文辞的工拙来评论而已,论立意则总是不能超越古人啊!

比如扬雄模拟《周易》而写成《太玄》,王莽根据《周书》而写成《大诰》,都是费心费力但反而越来越拙劣了啊!(《世说新语》:“王隐论扬雄《太玄》虽然妙,并非有所补益,而是古人所说的在房屋里面构建房屋。”)《曲礼》的训言“不剿窃,不雷同”,是古人立言的根本。

【题解】

《文章繁简》选自《日知录》卷十九。顾炎武此条开篇即论韩愈《樊宗师墓铭》中关于时文弊病的看法，引出他对文章繁简的讨论。他认为文章的关键不在于繁简，而在于“达”。他详举《孟子》中“齐人有一妻一妾”与“有馈生鱼于郑子产”两则故事来讨论重复之必要，也即“繁”之必要。又以《新唐书》“不简于事而简于文”导致逻辑性错误为例，反面证明“繁”之必要。但文章不是非要详叙殆尽，作文繁简得当即可。

文章繁简

【原文】

韩文公作《樊宗师墓铭》曰[①]：“维古于辞必己出[②]，降而不能乃剽贼[③]。后皆指前公相袭[④]，从汉迄今用一律。”此极中今人之病。若宗师之文[⑤]，则惩时人之失而又失之者也。如《绛守居园池记》[⑥]，以“东西”二字平常，而改为“甲辛”，殆类吴人之呼“庚癸”[⑦]者也。**作书须注，此自秦汉以前可耳；若今日作书而非注不可解，则是求简而得繁，两失之矣。子曰：“辞达而已矣。”**[⑧]胡缵宗[⑨]修《安庆府志》，书正德[⑩]中刘七事，大书曰：“七年闰五月，贼七来寇[⑪]江境。”而分注于“贼七”下曰：“姓刘氏。”举以示人，无不笑之。不知近日之学为秦汉文者，皆“贼七”之类也。

辞主乎达，不论其繁与简也。繁简之论兴而文亡矣。《史记》之繁处必胜于《汉书》之简处。《容斋随笔》论《卫青传》封三校尉语。[12]《史记》胜《汉书》处，正不独此。**《新唐书》之简也，不简于事而简于文，其所以病也**。

【注释】

①韩文公：即韩愈。《樊宗师墓铭》：即《南阳樊绍述墓志铭》，载《昌黎先生集》卷三四。樊宗师（？—821？）：字绍述，唐代散文家，韩愈古文运动参与者。

②己出：指独创。

③降：指后人。剽（piāo）贼：指从前人文章中剽窃字句连缀成文。

④指：照着。公相袭：公开沿用。

⑤宗师之文：韩愈认为樊宗师的文章一字一句皆独创，难能可贵，但樊宗师作文刻意求奇，喜欢用生僻词语，时称"涩体"。这就是下文所说的"惩时人之失而又失之者"。

⑥《绛守居园池记》：樊宗师所撰写的文章，因文字奇涩，难以句读，好奇的人纷纷为之作注。

⑦吴人之呼"庚癸"：《左传·哀公十三年》记载，吴国申叔向鲁国公孙有山氏借粮，有山氏回答说"登上首山喊'庚癸'就有人送粮来"。因庚主西方，代表谷，癸居北方，主水，"庚癸"便代表粮食和水，成为军粮的隐语，后引申为借钱。

⑧辞达而已矣：见《论语·卫灵公》。辞达，指言辞应该以表达志意为目的，而不用过度地去修饰，后成为中国古代文艺理论范畴。北宋文学家苏轼对"辞达"的范畴做出了富有创造性的发挥，丰富了"辞达"的内涵。

⑨胡缵宗（1480—1560）：字孝思，又字世甫，任翰林院检讨，历官嘉定判官、山东巡抚、河南巡抚等，足迹遍布江南，精于文史，罢官后开

阁著书，撰有《乌鼠山人集》《安庆府志》《苏州府志》等。

⑩正德：明武宗朱厚照年号，起于1506年，止于1521年。

⑪寇：侵略。

⑫"《容斋随笔》"句：《容斋随笔》卷一《文繁简有当》探讨了《史记》与《汉书》关于卫青传记叙述的区别，认为《汉书》写卫青封三校尉的文字比《史记》少二十三字，但不如《史记》朴赡可喜。

【译文】

韩愈作《樊宗师墓铭》，说："古人写文章必定是自己遣词造句，后人不能独创，于是便剽窃前人文字。后人总是对前人公开相袭，从汉朝到现在一直都是这样。"这句话正好切中了今人的弊病。宗师作文，警戒了时人抄袭的弊病，自己却又犯了生僻艰涩的毛病。（比如《绛守居园池记》，宗师认为"东西"二字很平常，改为"甲辛"，这大概与吴地百姓称借军粮为"庚癸"类似。）著书需要作注，这在秦汉以前可以；至于今人著书，如果不作注就不能理解，那就是想求简略反而变得烦琐了，繁简都不得当。孔子说："言辞只要如实地把意思表达清楚就可以了。"（胡缵宗修纂《安庆府志》，描写正德年间刘七的事，大写"七年(1512)闰五月，贼七侵略长江境地。"而在"贼七"下面加注："姓刘氏。"拿去给人看，没人不笑话他。不知近日学习作秦汉时文章的，都属于"贼七"之类。）

文辞主要在于达，不管是详尽还是简略。繁简的议论多起来，那文章就要完了。《史记》详尽之处必定胜过《汉书》的简略之处。（《容斋随笔》探讨《卫青传》封三校尉的断语。《史记》胜过《汉书》的地方，不仅仅只有此处。）《新唐书》不在史事上简略而在语言文字上简略，这是它出现弊病的原因。

【原文】

“时子因陈子而以告孟子，陈子以时子之言告孟子”[①]，此不须重见[②]而意已明。“齐人有一妻一妾[③]而处室者，其良人[④]出，则必餍[⑤]酒肉而后反。其妻问所与饮食者，则尽富贵也。其妻告其妾曰：‘良人出，则必餍酒肉而后反。问其与饮食者，尽富贵也，而未尝有显者来。吾将瞷[⑥]良人之所之也。’”“有馈[⑦]生鱼于郑子产，子产使校人[⑧]畜之池。校人烹之，反命曰：‘始舍之，圉圉[⑨]焉，少则洋洋焉[⑩]，悠然[⑪]而逝。’子产曰：‘得其所哉！得其所哉！’校人出，曰：‘孰谓子产智？予既烹而食之，曰：得其所哉！得其所哉！’”此必须重叠而情事乃尽，此孟子文章之妙。使入《新唐书》，于齐人则必曰“其妻疑而瞷之”，于子产则必曰“校人出而笑之”，两言而已矣。是故辞主乎达，不主乎简。刘器之[⑫]曰：“《新唐书》叙事好简略其辞，故其事多郁[⑬]而不明，此作史之病也。”且文章岂有繁简邪？昔人之论谓如风行水上，自然成文[⑭]；若不出于自然，而有意于繁简，则失之矣。当日《进〈新唐书〉表》[⑮]云：“其事则增于前，其文则省于旧。”《新唐书》所以不及古人者，其病正在此两句上。

《黄氏日抄》[⑯]言：“苏子由《古史》[⑰]改《史记》，多有不当。如《樗里子[⑱]传》，《史记》曰：‘母，韩女也。樗里子滑稽多智。’《古史》曰：‘母，韩女也，滑稽多智。’似以母为滑稽矣，然则‘樗里子’三字其可省乎？《甘茂[⑲]传》，《史记》曰：‘甘茂者，下蔡[⑳]人也。事下蔡史举[㉑]，学百家之说。’《古史》曰：‘下蔡史举学百家之说。’似史举自学百家矣，

然则'事'之一字其可省乎？以是知文不可以省字为工，字而可省，太史公省之久矣。"

【注释】

①"时子"二句：见《孟子·公孙丑下》，孟子从齐国辞官回邹，时子托陈子把齐王要用房子、厚禄挽留孟子的话转告给孟子。时子，生卒年不详，春国战国时期齐国臣子。陈子，陈臻，孟子弟子，齐国人。

②重见：指文辞中没有重复齐王要时子转告孟子的话。

③"齐人有一妻一妾"以下一段：此部分见《孟子·离娄下》。

④良人：古时夫妻互称为良人，后多用于妻子称丈夫。

⑤餍（yàn）：吃饱。反：通"返"，返回。

⑥瞷（jiàn）：窥视，偷看。

⑦有馈：有人赠送。馈，馈赠，赠送。此部分见《孟子·万章上》。

⑧校（jiào）人：古代管理池沼的小官。

⑨圉圉（yǔyǔ）：被困而不得舒展的样子。

⑩少：不多时，一会儿。洋洋：舒缓的样子。

⑪悠然：从容、闲适的样子。

⑫刘器之：刘安世（1048—1125），字器之，号读易老人，北宋官吏，从学于司马光，学者称元城先生。

⑬郁：晦涩，晦暗。

⑭风行水上，自然成文：风吹拂水面，自然而然产生波纹。文，通"纹"，此处指波纹。

⑮《进〈新唐书〉表》：曾公亮所撰的文章。

⑯《黄氏日抄》：宋代学者黄震撰，为研究经、史、子的随笔札记。

⑰《古史》：北宋文学家苏辙嫌弃《史记》浅陋疏略，而修改撰写《古史》

一书。

⑱樗里子(？—前300)：名疾，秦惠王的弟弟，因居于樗里(在今陕西渭南)，故称樗里子。足智多谋，能说会道，人称“智囊”。

⑲甘茂：生卒年不详，姬姓，甘氏，名茂，战国中期秦国名将。

⑳下蔡：古地名，在今安徽阜阳。

㉑史举：战国时期魏国人，恃才傲物，上不事君，下不事家，以苟贱不廉闻名天下。

【译文】

“时子托陈子把齐王的话转告孟子，陈子把时子嘱托的话告诉了孟子”，这不需要文辞重复而意思就已经明了了。“齐国有个人，有一妻一妾，他们共同居家生活。丈夫每次外出，必定酒足饭饱后才回家。妻子问他一起吃喝的都是什么人，他回答说尽是一些有钱有势的人。他妻子便告诉他的妾说：‘丈夫每次外出，必定酒足饭饱后才回家。问他与什么人一起吃喝，他说都是些富贵之人，可是从来没有什么显贵人物到咱们家来，我准备悄悄地去看看他都到些什么地方去。’”“有人送了一条活鱼给郑国子产，子产让管理池塘的人把鱼养在池塘里。管池塘的人却把鱼煮了吃了，回来答复说：‘刚放入池塘里，好像半死不活的样子，过了一会儿就安然自得起来，然后从容地又走了。’子产说：‘它去了应该去的地方啊！去了应该去的地方啊！’校人退出来，说：‘谁说子产聪明？我把鱼煮了吃了，他却说：它去了应该去的地方啊！去了应该去的地方啊！’”这里就必须重复才能把神情事态描写尽致，这是孟子文章的妙处。如果写入《新唐书》，那么关于齐人那一段，就一定会说“他的妻子怀疑他而偷偷地跟去看”，关于子产的那一段就会说“校人退出来后嘲笑子产”，只这么两句话就完了。因此，言辞关键在于达，不在于简。刘器之说："《新唐书》叙事喜欢语词简略，所以叙述的事情很多是晦涩不明的，这就是写史的弊病。"况且文章怎么会死死规定是详尽还是简略呢？古人论述这个问题时说如同风吹拂水面，自然产生波纹，刻意按详尽或简略去写，就容易出现弊病。曾公亮《进〈新唐书〉表》说："《新唐书》相比《旧唐书》叙述的事情增多了，文字却简略了。"《新唐书》之所以不及古人，它的缺点正是表现在这两句话上。

《黄氏日抄》说："苏子由修改《史记》而写成的《古史》，有很多不恰当的地方。比如《樗里子传》，《史记》说：'樗里子的母亲，是韩国女子。樗里子滑稽而多智。'《古史》说：'樗里子的母亲，是韩国女子，滑稽而多智。'好像把樗里子母亲当成滑稽而多智的人了，那么'樗里子'三字难道可以省略吗？关于《甘茂传》，《史记》说：'甘茂，下蔡人。跟从下蔡史举，学习百家之说。'《古史》说：'下蔡史举学百家之说。'似乎在说史举自己学百家之说，'事'这个字难道可以省略吗？据此可知，写文章不可以把简略文字当作能事，上面这些字如果可以省略，太史公司马迁早就把它省略掉了。"

【题解】

《文人求古之病》选自《日知录》卷十九。因时代变迁，语言文字诸如地名、官名等皆有所变化，但文人墨客为显示自己才能，常常求古而弃今。这样做一是造成文辞难理解，二是造成官制混乱，三是造成地名无法考证。顾炎武认为这种求古弃今之举，文人墨客自以为高妙，实则是在掩饰其粗俗与浅陋。这种标新立异，于文辞的工妙又有何益？人名、地名虽为细枝末节，但弃今名而用古名，弃本名而用郡望名，只会造成混乱，与事实不符。因此，文人作文，也不得不慎重严谨。

文人求古之病

【原文】

《后周书·柳虬传》[①]："时人论文体有今古之异，虬以为时有今古，非文有今古。"此至当之论。夫今之不能为二《汉》[②]，犹《二汉》之不能为《尚书》《左氏》。乃勦取《史》《汉》中文法以为古，甚者猎其一二字句用之于文，殊为不称。以今日之地为不古，而惜古地名；以今日之官为不古，而借古官名；舍今日恒用之字，而借古字之通用者，皆文人所以自盖其俚浅也[③]。《唐书》：郑余庆[④]奏议类用古语，如"仰给县官""马万蹄"，有司不晓何等语，人訾其不适时[⑤]。

宋陆务观《跋前汉通用古字韵》[⑥]曰："古人读书多，故作文时偶用一二古字，初不以为工，亦自不知孰为古、

孰为今也。近时乃或钞掇[7]《史》《汉》中字入文辞中，自谓工妙，不知有笑之者。偶见此书，为之太息[8]，书[9]以为后生戒。"元陶宗仪《辍耕录》曰："凡书官衔，俱当从实，如'廉访使''总管'之类[10]，若改之曰'监司''太守'[11]，是乱其官制，久远莫可考矣。"

【注释】

①《后周书》：即《周书》，唐令狐德棻等撰。柳虬：字仲蟠，年少时专精好学，遍读五经，后任秘书丞，监修国史。

②二《汉》：即《汉书》《后汉书》。

③盖：掩盖，掩饰。俚浅：粗俗浅陋。

④郑余庆(746—820)：字居业，唐德宗、唐宪宗时任宰相，为官清廉，以振起儒学为任，卒谥贞。事见《新唐书》卷一六五《郑余庆传》。

⑤訾(zī)：指责，怨恨。适时：适合时宜。

⑥陆务观：即陆游。《跋前汉通用古字韵》：载于《渭南文集》卷二八。

⑦钞掇：拾掇抄录。钞，通"抄"。

⑧太息：即"叹气"。

⑨书：书写，记载。

⑩廉访使：官名，元朝时属肃政廉访司，明时属提刑按察使司，各道专治刑狱的官。总管：官名，地方高级军政掌管，元朝各道总管府总管或都总管，都监管军民。

⑪监司：职官名，监察地方属吏的司、道诸官。太守：汉朝设立的一郡最高行政诸官官吏，隋唐后刺史、知府也别称太守。

【译文】

《后周书·柳虬传》："时下人们认为文体有今体跟古体的区别，

虬以为时代有古今，并非文体有古今。”这是极为恰当的论点。今日书不能成为两《汉书》，如同两《汉书》不能成为《尚书》《左传》一样。于是有人抄取《史记》《汉书》中语法以之为古，更有甚者取其中一两字句用于文章，但这种做法极为不恰当。因今日地域不古，而重视古地名；因为今日官员不古，而借用古代官名；舍弃今天常用的字，而借用古代的通用字，都是文人用来掩饰自己粗俗浅陋的做法。《唐书》有载，郑余庆奏议等公文喜欢用古语，比如“仰给县官”“马万蹄”，有关部门并不明白这种语句，都指责他不合时宜。

宋陆务观《跋前汉通用古字韵》说：“古人读书多，所以写文章时偶然用一两个古字，最开始并不认为工妙，自己也不知道哪个是古字，哪个是今字。近日，有人拾掇抄录《史记》《汉书》中的字用在自己的文辞中，自以为工妙，不知道嘲笑这种做法的大有人在。偶尔见到这种书，都为之叹息。记下来让后辈引以为戒。”元代陶宗仪《辍耕录》说：“凡官衔，都应该如实书写，比如‘廉访使’‘总管’之类，如果改成‘监司’‘太守’，是混乱了官制，时间久了就不可考证了。”

【原文】

何孟春《余冬序录》[①]曰：“今人称人姓必易以世望[②]，称官必用前代[③]职名，称府州县必用前代郡邑名，欲以为异，不知文字间著此[④]，何益于工拙？此不惟于理无取，且于事复有碍矣。李姓者称陇西公，杜曰京兆，王曰琅邪，郑曰荥阳，[⑤]以一姓之望而概众人，可乎？此其失，自唐末五季间孙光宪[⑥]辈始。《北梦琐言》称冯涓为‘长乐公’[⑦]，《冷斋夜话》称陶毂为‘五柳公’，类以昔人之号而概同姓，尤是可鄙。官职郡邑之建置，代有沿革，今必用

前代名号而称之，后将何所考焉？此所谓于理无取，而事复有碍者也。”

于慎行《笔麈》曰：“《史》《汉》文字之佳本自有在，非谓其官名地名之古也。今人慕其文之雅，往往取其官名地名以施于今，此应为古人笑也。《史》《汉》之文如欲复古，何不以三代官名施于当日，而但记其实邪？文之雅俗固不在此，徒混淆失实，无以示远，大家不为也。予素不工文辞，无所模拟，至于名义之微，则不敢苟。寻常小作，或有迁就金石之文，断不敢于官名地名以古易今。前辈名家亦多如此。”

【注释】

①何孟春（1474—1536）：字子元，号燕泉，博学多才，善写诗歌，为李东阳门人，属于“茶陵诗派”，时称燕泉先生。《余冬序录》：何孟春关于君道、古今人品、各项杂事的评论。

②世望：如同“门望”，家世声望显赫。

③前代：以前的朝代。

④间（jiàn）：间或。著：写明，显出。

⑤“李姓者称陇西公”四句：六朝时，陇西狄道的李氏、京兆杜陵的杜氏、琅邪临沂的王氏、荥（xíng）阳开封的郑氏，都是世家望族，烜赫一时，所以后世好称郡望的人多攀称。琅邪：或作“琅琊”“瑯琊”。

⑥孙光宪（约900—968）：字孟文，号葆光子，五代宋初文学家，博学多才，有文学名，撰有《北梦琐言》。

⑦冯涓：字信之，五代前蜀人，王建占据蜀地，以冯涓为翰林学士，官至御史大夫。长乐公：五代时，冯道历事四朝，自号长乐。所以称姓冯的为“长乐公”。

【译文】

何孟春《余冬序录》说:“今人称人的姓名一定改称世家望族,称官职必定用以前朝代的称呼,称府、州、县必定用以前朝代的郡邑名。他们以为这样是标新立异,却不知道这样对文章的优劣又有什么好处呢?这不仅对述理无所帮助,反而对叙事有所妨碍。姓李的称为‘陇西公’,姓杜的称‘京兆’,姓王的称‘琅邪’,姓郑的称‘荥阳’,以某个姓氏的郡望而总概众人,这可以吗?这种毛病,自唐末五代孙光宪这一辈开始。《北梦琐言》称冯涓为‘长乐公’,《冷斋夜话》称陶毅为‘五柳公’,都是以古人的号来概括同姓之人,尤其鄙陋。官职、郡邑的建立,每一代都有沿革,今天一定要用前代的名号来称呼,后人将怎么去考证呢?这就是所说的对述理无所帮助,反而对叙事有所妨碍。”

于慎行《笔麈》说:“《史记》《汉书》佳句妙字本身就存在,并不是指它们用的古官名、古地名。今人向往《史记》《汉书》文辞典雅,往往取其中的官名、地名指今天的地点,这应该会被古人嘲笑。《史记》《汉书》的文字如果想复古,为何不用夏商周三代的官名,而是只记录当时实际的名称呢?文章的雅俗固然不在于此,这种做法只会造成名实混淆,无法展示久远,真正的大家不会这样做。我素来不擅长文辞,没什么可模仿的,至于名号之类,不敢马虎随意。平时的小作品,有的或许迁就金石文章,但绝不敢用古代的官名、地名来替代今天的名称,前辈名家大多也是这样的。”

【题解】

《诗体代降》选自《日知录》卷二十一。《诗》三百篇为顶峰，降而为《楚辞》，《楚辞》又降而为汉、魏、六朝之文，汉、魏、六朝之文而降为唐时之诗，这是势所必然。诗文随时代而变，是因有不得不变的因素，一代诗文经久沿袭，变成众所周知之物，诗人若只取陈言旧语一一模仿，毫无新意可言，则诗文之道将何存。诗文的变革，关键在于在继承的基础上革新，与前人不相似那就失去之所以为诗的特点，与前人相似则失去了之所以为我的特征，李白、杜甫之所以成为李白杜甫，是因为他们的诗歌与古人的既有不相似之处，也有相似之处。

诗体代降

【原文】

三百篇[1]之不能不降而《楚辞》[2]，《楚辞》不能不降而汉、魏，汉、魏之不能不降而六朝，六朝之不能不降而唐也，势也。用一代之体[3]则必似一代之文，而后为合格。

诗文之所以代变，有不得不变者。一代之文沿袭已久，不容人人皆道此语。今且千数百年矣，而犹取古人之陈言一一而摹仿，以是为诗，可乎？故不似则失其所以为诗，似则失其所以为我。李、杜[4]之诗所以独高于唐人者，以其未尝不似，而未尝似也。知此者，可与言诗也已矣。

【注释】

①三百篇：指《诗经》，是我国第一部诗歌总集，共305篇，又称"诗""诗三百""三百篇"。

②《楚辞》：楚辞，又称"楚词"，是战国时期屈原创作的一种诗体。西汉时期刘向辑录屈原、宋玉及汉代一些作家的作品编辑成《楚辞》，它是继《诗经》之后对我国文学影响深远的又一部诗歌总集。

③体：文体。

④李、杜：李白、杜甫。

【译文】

《诗经》不能不逐渐变化为《楚辞》，《楚辞》不能不逐渐变化为汉魏诗歌，汉魏诗歌不能不逐渐变化为六朝文，六朝文不能不逐渐变化为唐朝诗歌，这是势所必然。用一代的文体就必定会像这一代诗文的特点，这样才算合格。

诗歌之所以每一代都有变化，是因为有不得不变化的。一代之文沿袭过久，每一个人都这样论说便会显得不合时宜。如今距前人已经有数千百年了，还取古人的陈言旧语一一模仿，并把它们当作诗，这样可以吗？与前人不相似那就失去之所以为诗的特点，与前人相似则失去了之所以为我的特征。李白、杜甫的诗歌之所以独独高于唐朝众多诗人，是因为他们的诗歌与古人的既有不相似之处，也有相似之处。知道这一点，然后才可以说诗啊。

【题解】

《酒禁》选自《日知录》卷二十八。对于酒，政府历来制度不一，要之有两法，一是以礼节制，一是以刑罚禁止。然而即使采用罚金、收税、处死等举措，也无法阻止酒成为百姓日用必需之品，而且酒变“若水之流，滔滔皆是”。收取酒税的措施，有时并不能达到禁酒的目的，为官者甚至唯恐民众饮酒不多而造成酒税不足。顾炎武痛声疾呼：“水为地险，酒为人险！”因为酒导致的祸患比火还要厉害，人却多因酒死而浑然不觉。

酒　禁

【原文】

先王之于酒也，礼以先之，刑以后之。[①]《周书·酒诰》：“厥或告曰：‘群饮’，[②]汝勿佚[③]，尽执拘以归于周[④]，予其杀[⑤]！”此刑乱国用重典也[⑥]。《周官·萍氏》[⑦]：“几酒，谨酒。”[⑧]而《司虣》[⑨]：“禁以属游[⑩]饮食于市者。若不可禁，则搏而戮之[⑪]。”此刑平国[⑫]用中典也。“一献之礼，宾主百拜，[⑬]终日饮酒而不得醉焉”，则未及乎刑而坊[⑭]之以礼也。故成康以下，天子无甘酒[⑮]之失，卿士无酣歌[⑯]之愆。至于幽王，而“天不湎尔”[⑰]之诗始作，其教严矣。汉兴，萧何造律[⑱]，三人以上无故群饮酒罚金四两。曹参[⑲]代之，自谓遵其约束，乃园中闻吏醉歌呼而亦取酒张饮，与相应和，是并其画一之法而亡之也[⑳]。坊民以礼，酂侯既阙[㉑]之于前；纠民以刑，平阳复失之于后。弘羊踵

此[22]，从而榷酤[23]，夫亦开之有其渐乎？

【注释】

①礼以先之，刑以后之：指先用礼来节制，后用刑罚禁止。

②厥：假如。或：有人。告：报告，《尚书·周书·酒诰》作“诰”。群饮：聚众饮酒。周初严厉禁止群饮。

③佚：放纵。

④尽：完全。执拘：逮捕。周：这里指周朝都邑镐京或洛邑。

⑤予：我。其：将，将要。

⑥刑：用作动词，使用刑罚。乱国：动荡不安的国家。重典：严峻的刑罚。

⑦《周官》：《周礼》也称《周官》。萍氏：《周礼》秋官之属，掌管国家水禁。

⑧几酒：苛察买酒过多或者在不恰当时节买酒的。谨酒：使民众谨慎用酒。这都是萍氏的管理职责。

⑨司虣(bào)：《周礼》地官之属，掌管市肆中的禁令，禁止市肆暴乱。虣：古时同“暴”。

⑩属游：群游，聚众闲逛。

⑪搏：捕捉。戮：惩罚。

⑫平国：承平守成的国家，即建国后正常运转的国家。《汉书·刑罚志》载：“刑新邦用轻典，刑平邦用中典，刑乱邦用重典。”意思是对待不同的社会状况使用不同程度的刑罚制度。

⑬一献之礼，宾主百拜：一献之礼为古代飨士的饮酒礼节，包括献（敬酒）、酢（回敬酒）、酬（劝酒）。每一个环节，主人和宾客还要进行取爵（饮酒的器皿）、下堂洗爵、辞降、辞洗、奠爵、执爵等许多细小礼

节，每一个细小礼节，宾主都要互相行拜礼，所以称“宾主百拜”。此处引文见《礼记·乐记》。

⑭坊：通“防”，防止。

⑮甘酒：嗜酒。

⑯酣歌：沉迷于欢歌中。

⑰天不湎尔：出自《诗经·大雅·荡》，全句为“天不湎尔以酒”，意思是上天不让你沉湎于酒。

⑱萧何（？—前193）：西汉开国宰相，是辅佐汉高祖刘邦夺取天下的第一功臣，封酂（cuó）侯。汉朝统一天下后，萧何提出“无为而治”，并参照秦代法律制定九章律，今河南永城有造律台，就是因萧何在此制定法律而得名。

⑲曹参（cān）（？—前190）：字敬伯，西汉开国功臣、名将，封平阳侯，汉惠帝时继承萧何成为汉代第二位宰相。他当政期间，遵循萧何制定的律法，有“萧规曹随”之称。事见《史记》卷五四《曹相国世家》。

⑳画一之法：曹参取代萧何成为丞相，一切依随萧何制定的法规办事，民间有歌谣说“萧何为法，顜若画一；曹参代之，守而勿失。载其靖清，民以宁一。”意思是萧何制定法律，明白画一；曹参接替，遵守而不改变。执行清静无为的政策，百姓安宁一统而不乱。画一，即整齐一致。

㉑阙：与下文的“失”意思相同，即过失。

㉒弘羊：桑弘羊（前152—前80），汉武帝时著名财政大臣、政治家，出身商人家庭，迁治粟都尉，代管大农令事物，掌管天下盐铁事物，实行盐铁酒专卖制度，为汉武帝巩固封建中央集权、增加财政收入做出重要贡献。踵（zhǒng）：追随，继承。

㉓榷酤(quègū):汉代以后实施的酒类专卖制度,也泛指一切管制酒业取得酒利的措施。

【译文】

对于酒,先王的制度是先用礼来节制,后用刑罚来禁止。《周书·酒诰》:"假如有人报告说:'有人聚众饮酒',你们不要放纵,全部捉拿拘押到周朝都城,我将把你们杀掉!"对待乱世要用严峻的刑罚。《周官·萍氏》:"苛察买酒过多或者在不恰当时节买酒的,使民众谨慎用酒。"《司虣》:"禁止在市肆中聚众闲逛和饮食。如果违反禁令,则予以拘捕,加以处罚。"这是对承平之国使用中等程度的刑罚。"行一献之礼,宾主要互行许许多多拜礼,因此整天饮酒也不会醉了",这是用礼仪节制。所以周成王、周康王以后,天子没有因嗜酒而造成的过失,卿大夫士子没有因沉湎于欢歌而犯过罪祸。到了周幽王,"天不湎尔"之类的诗歌开始出现,关于酒的风教变得严厉了。汉朝兴起,萧何制定法律,三人以上无故聚众饮酒的处罚黄金四两。曹参代萧何为宰相,自己说要遵守萧何制定的法律约束。他在园中听闻官吏喝醉酒高歌欢呼,也取来酒开怀大饮,并且唱歌附和,这是继承了萧何的画一之法却没有继承酒禁之法。没有做到用礼节来节制民众,酂侯萧何已经错在先;没有做到用刑罚纠正民众,平阳侯曹参又错于后。桑弘羊把此制度继承下来,采用酒类专卖制度,这难道是制度建立后慢慢变得严厉吗?

【原文】

武帝天汉[1]三年,初榷酒酤。昭帝始元[2]六年,用贤良文学[3]之议,罢之,而犹令民得以律占租卖[4],酒升四

钱[5]，遂以为利国之一孔[6]，而酒禁之弛实滥觞[7]于此。《困学纪闻》[8]谓榷酤之害甚于鲁之初税亩[9]。**然史之所载，自孝宣[10]已后，有时而禁，有时而开。至唐代宗广德[11]二年十二月，诏天下州县，各量定酤酒户，随月纳税，除此之外，不问官私，一切禁断。自此名禁而实许之酤，意在榷钱而不在酒矣。宋仁宗乾兴[12]初，言者以"天下酒课[13]，月比岁增，无有艺极[14]，非古禁群饮节用之意"。孝宗淳熙[15]中，李焘奏谓："设法劝饮，以敛民财。"[16]周辉《杂志》[17]以为，惟恐其饮不多而课不羡[18]，此榷酤之弊也。至今代，则既不榷缗[19]而亦无禁令，民间遂以酒为日用之需，比于饔飧之不可阙[20]；若水之流，滔滔皆是，而厚生正德[21]之论莫有起而持之者矣。**

邴原之游学，未尝饮酒，大禹之疏仪狄也；诸葛亮之治蜀，路无醉人，武王之化妹邦也。

【注释】

①天汉：汉武帝刘彻年号，起于前100年，止于前97年。

②始元：汉昭帝刘弗陵年号，起于前86年，止于前80年。

③贤良文学：汉代选拔官吏的科目之一，简称"贤良"或"文学"。

④令民得以律占租卖：让百姓卖酒，自报所得利润并据此纳税，自报不实，则根据法律治罪。

⑤酒升四钱：指每升酒四钱的抽税标准。

⑥孔：如同"端"。

⑦滥觞：比喻事物的开端、起源。

⑧《困学纪闻》：宋代王应麟撰写的一部考订评论经史百家、历代名物

制度的读书札记，与沈括的《梦溪笔谈》、洪迈的《容斋随笔》并称为宋代三大笔记书。

⑨鲁之初税亩：春秋时期鲁宣公十五年实行初税亩制度，即按亩征收田税，表明统治者承认私有土地的合法性。事见《困学纪闻》卷四《周礼》“萍氏几酒”条。

⑩孝宣：汉宣帝刘询，前74年至前49年在位，治理国家杂用“霸道”“王道”，励精图治，任用贤能，在位期间政治清明，经济繁荣，史称“宣帝中兴”。

⑪唐代宗：李豫（727—779），随父亲唐肃宗收复长安、洛阳两京，即位后平定安史之乱，762年至779年在位。广德：唐肃宗年号，起于763年，止于764年。

⑫宋仁宗：赵祯（1010—1063），北宋第四位皇帝，也是两宋在位时间最长的皇帝，天性仁孝，为人宽厚和善。乾兴：宋真宗赵恒年号，元年二月宋仁宗即位沿用，共1年。

⑬言者：即言官，主谏议的官。酒课：酒的税收。课，税款，税收。

⑭艺极：准则。引文见《宋史》卷一三八《食货志》。

⑮孝宗：赵昚（1127—1194），南宋第二位皇帝，在位期间洗清岳飞冤情，封岳飞为鄂国公，为南宋最有作为的君主。淳熙：南宋孝宗的第三个年号，起于1174年，止于1189年，共计16年。

⑯李焘（1115—1184）：字仁甫，一字子真，南宋经学家，任礼部郎中，迁秘阁修撰，进敷文阁学士，同修国史，对宋朝典故十分熟悉，精通天文历法、音韵文字，著有《续资治通鉴长编》。引文见周必大《文忠集》卷六六《敷文阁学士李文简公神道碑》。

⑰周辉（1127—?）：字昭礼，一说是周邦彦之子。晚年定居杭州清波门之南，往来山湖之间，把酒赋诗，自得其乐，终生不仕。《杂志》：

即《清波杂志》，周辉所撰笔记，多记宋代典故制度、名人轶事。事见该书卷六。

⑱羡：丰裕。

⑲榷缗：与上文“榷缗”意思一致，都指酒税。

⑳饔飧(yōngsūn)：饔指早餐，飧指晚餐，代指饭食。阙：少。

㉑厚生：使人民生活丰足。正德：使人民德行端正。

【译文】

汉武帝天汉三年(前98)，禁止百姓酿酒，酒由官府专卖。汉昭帝始元六年(前81)，采用贤良文学官员的建议，取消这一制度，但让民众根据律法缴纳酒税卖酒，每卖一斤酒收税四钱，这就变成了为国家谋利的一个渠道，但酒禁的松弛确实是起源于此。(《困学纪闻》说酒类专卖的害处比鲁国的初税亩制度害处更大。)然而史书记载，自孝宣帝刘询以后，酒令有时候严格，有时候开放。到唐代宗广德二年(764)十二月，皇帝诏告天下州县，各卖酒的民户，每个月缴纳税收，除此之外，不管是官府还是民间，都不准酿酒。自此以后，国家名义上实行酒禁政策，实际上却允许酿酒卖酒，旨在取得专卖酒类的税收。宋仁宗乾兴初年(1022)，言官认为“天下酒税，月月年年接次增加，没有准则，这不符合古时候禁止聚众饮酒，教化百姓节俭用度的大义”。宋孝宗淳熙年间，李焘上奏说：“想方设法劝导民众饮酒，以此来聚敛民众的钱财。”周辉《清波杂志》以为，唯恐民众饮酒不多而酒税不富足，是酒类专卖的弊病。到了现今，既不征收酒税也没有颁布禁令，民间便把酒当作日常生活用品，将酒当作不可缺少的饭食；于是酒就变成了水流一般，滔滔不绝，遍地都是，再也没有人提起使人民生活丰足、使百姓德行端正的论说了。

郈原游学，不曾喝酒，这是大禹之所以疏远仪狄的缘故；诸葛亮治理蜀国，路上没有喝醉的人，这是武王教化殷商妹邦地区的结果。

【原文】

《旧唐书·杨惠元[1]传》："充神策京西兵马使[2]，镇奉天[3]……诏移京西戍兵万二千人以备关东[4]，帝御[5]望春楼……赐宴，诸将列坐。酒至，神策将士皆不饮，帝使问之。惠元时为都将[6]，对曰：'臣初发奉天，本军帅张巨济与臣等约曰："斯役也，将策[7]大勋，建大名，凯旋之日，当共为欢。苟未戎[8]捷，无以饮酒。"故臣等不敢违约而饮。'既发，有司供饩[9]于道路，唯惠元一军瓶罍[10]不发，上称叹久之，降玺书[11]慰劳。及田悦叛，诏惠元领禁兵三千，与诸将讨伐，御河夺三桥[12]，皆惠元之功也。"能以众整[13]如此，即治国何难哉！沈括《笔谈》[14]言："太宗朝，禁卒买鱼肉及酒，入营门者有罪。"

【注释】

①杨惠元：《旧唐书》卷一四四作"阳惠元"。

②神策：即神策军，唐后期禁军。京西：京城之西。兵马使：官名，唐朝藩镇自置的统兵官。

③奉天：县名，今陕西乾县。

④戍兵：戍守边疆的士兵。备：守备，防备。关东：指函谷关或潼关以东的地区。

⑤御：指皇帝驾临。

⑥都将：唐五代时统官名。

⑦策：简策，此处用作动词，把……记录在简策上。

⑧戎：大。

⑨饩(xì)：赠送食物。

⑩瓶：古代盛酒食的容器，比较小。罍(léi)：古代大型的盛酒器。瓶罍不发即指不打开酒瓶喝酒。

⑪玺书：皇帝所下的敕令诏书。

⑫御河夺三桥：《旧唐书》卷一四四作"战御河夺三桥"。

⑬众整：整饬军队。

⑭沈括(1031—1095)：字存中，号梦溪丈人，北宋文学家、科学家，一生致力于科学研究，成就斐然，被誉为"中国整部科学史中最卓越的人物"。《笔谈》：即《梦溪笔谈》，沈括所撰笔记，内容广泛，涉及天文、地理、数学、化学、气象、生物、医术等等，被英国学者李约瑟誉为"中国科学史上的里程碑"。

【译文】

《旧唐书·杨惠元传》："杨惠元充任神策京西兵马使，镇守奉天……唐德宗下诏征调京西兵马一万二千人来守备关东。皇上亲临望春楼，赐宴时，众位将领列坐，酒上来后，神策军将士都不喝，皇上派人询问。杨惠元当时任都将，回答说：'臣当初从奉天出发时，本军帅张巨济与臣等相约："这次战役，我们将要立大功，要让声名显赫。凯旋的时候，应一起欢庆；如果没有取得大捷，都不喝酒。"所以臣等不敢违背约定而饮酒。'出发以后，官府人员拿着食物为他们饯行，唯有杨惠元所带领的将士一瓶酒都不开。皇上称赞了好久，又颁发玺书慰劳他们。后田悦叛变，皇上下令杨惠元统领禁兵三千人，与诸将共同讨伐。御河之战，夺取三桥，都是杨惠元的功劳。"能将众多兵将整顿得如此有序,就算是治国也没有什么难的!(沈括《梦溪笔谈》说:“太宗在位时期,禁止兵卒买鱼肉及酒,将酒肉带入军营的有罪。”)

【原文】

魏文成帝大安四年①,酿酤②饮者皆斩。金海陵正隆五年③,朝官饮酒者死。元世祖至元二十年④,造酒者本身配役⑤,财产女子没官⑥。可谓用重典者矣。然立法太过,故不久而弛也。

水为地险,酒为人险。故《易》爻之言酒者,无非坎卦⑦,而《萍氏》“掌国之水禁”,水与酒同官。黄鲁直作《黄彝字说》⑧云:“酒善溺人,故六彝皆以舟为足⑨。”

徐尚书石麒⑩有云:“《传》曰:‘水懦弱,民狎而玩之,故多死焉。’⑪酒之祸烈于火,而其亲人⑫甚于水,有以夫,世尽夭于酒而不觉也。”读是言者可以知保生⑬之道。《萤雪丛说》⑭言:“顷年⑮陈公大卿生平好饮,一日席上与同僚谈,举‘知命者不立乎岩墙之下’⑯,问之,其人曰:‘酒亦岩墙也。’陈因是有闻,遂终身不饮。”顷者米醪不足⑰,而烟酒兴焉,则真变而为火矣。

【注释】

①魏文成帝:拓跋濬(440—465),南北朝时北魏第四位皇帝,452年至465年在位。大安:应为“太安”,魏文成帝年号,起于455年,止于459年。

②酿:酿造酒。酤:买卖酒。

③海陵:金废帝完颜亮(1122—1161),字元功,1149年至1161年在

位，被废后降为“海陵庶人”。正隆：完颜亮年号，起于1156年，止于1161年。

④元世祖：忽必烈(1215—1294)，成吉思汗之孙，蒙古语尊号为“薛禅皇帝”。他建立元朝，灭南宋，统一全国，在位期间重视农桑，兴修水利，倡办学校，使社会经济得以恢复发展。至元：元世祖忽必烈年号，始于1264年，止于1294年。

⑤配役：流放服役。

⑥财产子女没官：指财产没收入官，子女成为官奴。

⑦《易》爻之言酒者，无非坎卦：指《易经》中凡是涉及酒的，都是坎卦。坎卦为水为险，表示危险和困难重重。

⑧《黄彝字说》：黄庭坚所撰写的一篇文章，讲述他为宗弟黄彝取字子舟的缘由。

⑨六彝皆以舟为足：黄庭坚《黄彝字说》认为，六彝以舟为足，旨在告诫人们祭祀的时候不可沉迷于酒，所以黄庭坚给他宗弟取字为“子舟”。六彝，宗庙祭祀的酒器，分别为鸡彝、鸟彝、黄彝、虎彝、虫彝、斝彝。

⑩徐石麒(1578—1645)：字宝摩，号虞求，明朝天启二年进士，授工部主事。福王时，官拜尚书，嘉兴城陷，自缢殉国。

⑪《传》：指《左传》。“水懦弱”三句见《左传·昭公二十年》，前一句为“夫火烈，民望而畏之，故鲜死焉”，意思是人们对火畏惧，对水亲近，所以死于火灾的人少，死于溺水的人多。

⑫其：代指酒。亲人：指让人觉得亲近。

⑬保生：维护生命。

⑭《萤雪丛说》：南宋俞成所撰笔记，二卷，内容驳杂，或讨论儒学经典，或研讨文字。引文见《萤雪丛说》卷下。

⑮顷年：近年。

⑯知命者不立乎岩墙之下：出自《孟子·尽心上》，意思是懂得命运安危的人不站立在要坍塌的墙下面。

⑰顷者：近来。米醪：米酒，醪糟。

【译文】

魏文成帝大安四年(458)，造酒、买卖酒、饮酒的人一律斩首。金海陵王正隆五年(1160)，凡朝官饮酒，一律处死。元世宗至元二十年(1283)，造酒的人本人被流放服役，财产被官府没收，子女没官为奴。可以说用的是严厉的法律治国。但是立法太严厉了，以至于过不久法律就会松弛。

水能使大地变得险恶，酒能让人处于危险境地。所以《易经》爻辞凡涉及酒的，无非是坎卦，而《周礼·萍氏》"掌管国家的水利禁令"，掌管水利和酒的官是同一个。(黄鲁直作《黄彝字说》说："酒容易使人沉迷，所以祭祀用的六种酒器都以舟为足。")

尚书徐石麒曾经说过："《左传》说：'水柔弱，百姓亲近喜欢，易忽视它，所以淹死的人很多。'酒导致的祸患比火还要厉害，而酒却比水还让人亲近些，所以诗人多因酒而死却浑然不觉。"读这句话可以知道保养生命的方法。《萤雪丛说》说："近年来，陈公大卿喜欢喝酒，一日在席上与同僚谈论，说起'懂得命运安危的人不站立在要坍塌的墙下面'，同僚就说：'酒也是要坍塌的墙。'陈大卿因此终身不饮酒。"近来，米酒不足，但烟酒流行，这就真的变成火了。

【题解】

《赌博》选自《日知录》卷二十八。古代赌博游戏众多，如马吊、叶子戏、六博、意钱、樗蒲等。这些赌博游戏起源较早，如樗蒲就有老子入胡所作的说法。明朝时赌博情况比较严重，上至皇帝、官员、士大夫，下至平民百姓，几乎无人不参与赌博，而且焚膏继晷，夜以继日，世人甚至以不会赌博为耻。明代也屡屡下过禁令，却常常流于一纸空文，这也是造成明代政治腐败的一个原因。面对这种情况，顾炎武痛呼世人不学唐朝贤相姚崇、宋璟，却学善于赌博而导致战乱的杨国忠，是自取灭亡。他列举汉代以来朝廷所采取的措施，认为针对赌博，就应该采用严酷的法律，同时君子应致力于礼制的建设和维护，百姓尽心尽力做好本分工作。

赌　博

【原文】

万历之末，太平无事，士大夫无所用心，间有相从赌博者。至天启[1]**中，始行马吊**[2]**之戏。而今之朝士**[3]**，若江南、山东，几于无人不为此。有如韦昭《论》**[4]**所云"穷日**[5]**尽明，继以脂烛**[6]**……人事旷**[7]**而不修，宾旅阙而不接"者。吁！可异也。考之《汉书》，安丘侯张拾**、邔其已反[8]。**侯黄遂、樊侯蔡辟方，并坐搏揜，免为城旦。**[9]《货殖传》："掘冢博揜，犯奸成富。"[10]王符《潜夫论》[11]："以游博持掩为事。"**师古曰："搏，或作'博'，六博**[12]**也。揜，意钱**[13]**之属也。"**《后汉书·梁冀传》："能挽满、弹棋、格五、六博、蹴鞠、意钱之戏。"[14]**皆戏**

而赌取财物。《宋书·王景文传》：为右卫将军，"坐与奉朝请毛法因蒱戏[15]，得钱百二十万，白衣领职[16]"。《刘康祖传》："为员外郎十年，再坐樗蒱[17]戏免"。《南史·王质传》："为司徒左长史，坐招聚博徒免官。"《金史·刑志》："大定八年制：品官[18]犯赌博法，赃不满五十贯者，其法杖，听赎，再犯者杖之。上曰：'杖者，所以罚小人也，既为职官，当先廉耻，既无廉耻，故以小人之罚罚之。'"今律犯赌博者，文官革职为民，武官革职随舍余食粮差操[19]，亦此意也，但百人之中未有一人坐罪者，上下相容而法不行故也。晋陶侃[20]勤于吏职，终日敛膝危坐，阃[21]外多事，千绪万端，罔有遗漏。诸参佐或以谈戏[22]废事者，命取其酒器蒱博之具，悉投于江。将吏则加鞭朴[23]，卒成中兴之业，为晋名臣。唐宋璟[24]为殿中侍御史，同列有摴于台中者[25]，将责名品[26]而黜之，博者惶恐自匿，后为开元贤相。而史言文宗切于求理，每至刺史面辞，必殷勤戒敕曰："无嗜博，无饮酒。"内外闻之，莫不悚息[27]。然则勤吏事而纠风愆[28]，乃救时之首务矣。

【注释】

①天启：明熹宗朱由校年号，起于1621年，止于1627年。

②马吊：一种纸制的赌具，共四十张，分十万贯、万贯、索子、文钱四种花色，每局四门，如同马有四足，所以称为"马吊"，现在的纸牌、麻雀牌游戏极有可能由此演变而来。

③朝士：泛指朝廷中所有的官员。

④韦昭(204—273)：韦曜，本名韦昭，应避讳而改名韦曜，字弘嗣，三国时

期历任吴国丞相掾、西安令、太子中庶子、太史令、中书仆射等，有文才。《论》：即韦昭所作《博弈论》，载《三国志》卷六五《吴志·韦曜传》。

⑤穷日：终日。穷，尽。尽明：指至日落。

⑥脂烛：也称"膏烛"，以油脂制成的灯烛。

⑦旷：荒废。

⑧其已反：反切为古人创制的一种注音方法，又称"反"或"切"，一般格式为"某某反""某某切"，大体上取上字的声母，取下字的韵母与声调，合成新字的音。

⑨"考之《汉书》"数句：见《汉书》卷一六《高惠高后孝文功臣表第四》。搏揜：汉朝罪名，即赌博取财。免：革去侯爵。城旦：秦朝劳役刑中最重的一级，白天戍边，晚上筑城，所以称为"城旦"。

⑩掘冢：即盗墓。犯奸：作奸犯法。见《汉书》卷九一《货殖传》。

⑪王符(85? —163)：字节信，东汉后期思想家、政论家和文学家，终身不仕，隐居著书三十余篇，因不想彰显名声，所以将所撰著作称为《潜夫论》。

⑫六博：又称"陆博"，一种掷采行棋角胜的局戏，棋子十二枚，六黑六白，每人六棋相博，因此得名，可以看作象棋的前身。

⑬意钱：又称"摊钱"，一种赌博游戏，与"押宝"类似。

⑭挽满：即拉满弓，指箭术。弹棋：古代一种棋戏，两人对局，白黑棋子各若干枚，先放一棋子在棋盘一角，用手指弹击对方的棋子，先被击中取尽的输。格五：古代博戏之一，与六博类似，两人各以五枚棋子相对而博，掷塞、白、乘、五四种彩行棋，至五格不得行。蹴鞠(cùjū)：古代一种踢球游戏，类似于今天的足球。

⑮奉朝请：本为大臣初一、十五上朝请命于皇帝的意思，后成为给予闲散大官的优惠待遇，即有参加朝会的资格，汉代时主要针对退职

的三公、外企、宗室、诸侯。蒱(pú)戏:古代一种赌博游戏,类似于今天的掷骰子。

⑯白衣领职:南朝时期的刑罚,大概是免除官职后以平民身份不领俸禄继续执行公职。白衣,即布衣,平民。引文见《宋书》卷五〇。

⑰樗(chū)蒱:投掷有颜色的五颗木子,以颜色决胜负,类似于今天的掷骰子。樗,也作"摴"。蒱,也作"蒲"。

⑱品官:古代官制,从一品到九品的官,统称为品官。也泛指有品秩的官。

⑲舍(shè)余:应指"舍人"之余,与"军余"类似,明代称应袭卫所职位的武官子弟为舍人。差操:指因公劳作。

⑳陶侃(259—334):字士行,晋朝名将,出身寒门,陶渊明曾祖父。明帝时官拜征西大将军,后封长沙郡公,忠诚勤劳,人比之诸葛亮。事见《晋书》卷六六《陶侃传》。

㉑阃(kǔn):指统兵在外。

㉒谈戏:清谈与游戏。

㉓将吏:文武官的合称。鞭朴:鞭打。朴,通"扑",击,打。

㉔宋璟(663—737):字广平,经武、中宗、睿宗、殇帝、玄宗五帝,睿宗时为宰相,大革前弊,选拔人才,玄宗时代姚崇为相,对朝政多有所建树,为开元时期名相。

㉕同列:即同僚。台中:指御史台署内。

㉖责:诘问。名品:名位品级。

㉗悚息:因恐惧而屏住呼吸。

㉘风愆:指歪风邪气。

【译文】

万历末年,天下太平无事,士大夫没有耗费心思的地方,时常有相约一起去赌博的。到天启年间,开始流行马吊。如今朝廷官员,比如江南、山东地区的,基本上没有人不打马吊的。这正如韦昭《博弈论》所说的"从日出玩到日落,晚上还挑灯夜战……事务荒废不去办理,宾客来了搁置一旁不去接待"。吁!实在太怪异了。考《汉书》:安丘侯张拾、邔(音其已反。)侯黄遂、樊侯蔡辟方,都因赌博获罪,免去爵邑服城旦刑。(《汉书·货殖传》:"盗墓赌博,作奸犯法以获得财富。"王符《潜夫论》:"以游戏赌博为事业。")师古说:"掷,也写作'博',即六博。揜,意钱之类。"(《后汉书·梁冀传》:"梁冀懂得挽满、弹棋、格五、六博、蹴鞠、意钱之类的游戏。")这都是通过玩游戏而赌取财物。《宋书·王景文传》:王景文为右卫将军,"因为参加朝会时与人赌博,赢得一百二十万钱而获罪"。《刘康祖传》:"刘康祖为员外郎的十年间,两次因樗蒲戏免去官职。"《南史·王质传》:"王质为司徒左长史,因为招人聚众赌博获罪免官。"《金史·刑志》:"大定八年(1168)颁布制律:有品级的官吏触犯赌博的法律,赃款不满五十贯钱的依法当处以杖刑,但允许以钱物赎罪,再犯的就执行杖刑。皇上说:'杖刑是用来处罚小人的,既然当了官,就首先应该知道廉耻,既然没有廉耻,所以用对待小人的刑罚来处罚他。'"依当今律法,犯赌博罪的,文官革职为平民,武官革职跟随舍余运输粮食,也是这种用意。但百个人当中没有一个人获罪,这是上下相互包庇致使法律不得施行的缘故。晋朝陶侃对本职工作勤勤恳恳,整日正襟危坐,统兵在外事务繁多,尽管千头万绪,也没有遗漏的。参佐僚属中有因清谈博戏而耽误公事的,命人收取他们的酒器以及赌博用具,全部扔到江里。如果是文官武官,就加罚鞭打之刑,最后成就中兴之业,成为晋代名臣。唐朝宋璟为殿中侍御史,同僚有在台中赌博的,总会诘问名位品级而罢黜他们,参与赌博的人见到他就惶恐躲避,后来宋璟成为开元时期的贤相。史书说唐文宗切于求理，每每派出刺史，必定殷切告诫说："不要嗜好赌博，不要饮酒。"朝廷内外官员听到，没有不恐惧的。所以治官严谨勤劳，纠正歪风邪气，是匡救时弊的首要任务。

【原文】

《唐书》言杨国忠以善樗蒲得入供奉[1]，常后出，专主蒲簿，计算钩画，分铢不误[2]。帝悦曰："度支郎[3]才也。"卒用之而败。玄宗末年，荒佚[4]，遂以小人乘君子之器[5]，此亦国家之妖孽也。今之士大夫不慕姚崇、宋璟，而学杨国忠，亦终必亡而已矣。

《山堂考索》[6]："宋大中祥符[7]五年三月丁酉，上封[8]者言进士萧玄之本名琉，尝因赌博抵杖刑，今易名赴举登第，诏有司召玄之诘问，引伏[9]，夺其敕[10]，赎铜四十斤，遣之。"宋制之严如此，今之进士有以不工赌博为耻者矣。

《晋中兴书》[11]载："陶士行言樗蒲老子入胡所作[12]，外国戏耳。近日士大夫多为之，安得不胥天下而为外国乎[13]？"

《辽史》："穆宗[14]应历十九年正月甲午，与群臣为叶格戏[15]。"《解》[16]曰："宋钱僖公家有叶子揭格之戏。"按应历十九年为宋太祖之开宝二年，是契丹先有此戏，不知其所自来。**而其年[17]二月己巳，即为小哥等所杀[18]。君臣为谑[19]，其祸乃不旋踵[20]。此不祥之物，而今士大夫终日执之，其能免于效尤[21]之咎乎！**

《宋史·太宗纪》："淳化二年闰月己丑，诏犯蒲博者斩。"《元史·世祖纪》："至元十二年，禁民间赌博，犯者流

之北地。"刑乱国用重典,固当如此。今日致太平之道何繇[22]?曰:君子勤礼,小人尽力。[23]

【注释】

①杨国忠(? —756):本名杨钊,杨贵妃堂兄,因品行不正被杨氏宗族排斥,后因贵妃得官,赐名国忠,身兼十五使职。李林甫死后,其继任右相,总揽大权、结党营私。后安禄山以"讨国忠"为名发动叛乱,他随玄宗逃奔四川,在马嵬驿被禁军杀死。供奉:以文学、特殊技艺被召入内廷任职的人。

②分铢(zhū)不误:指一丝钱都不差。铢,古代重量单位,一说二十四铢等于一两。

③度支郎:官名,唐代度支郎中、员外郎中的通称,掌判天下财赋的统计与支调。

④荒佚:放纵,放荡。

⑤小人乘君子之器:语出《周易·系辞传上》:"负也者,小人之事业;乘也者,君子之器也。小人而乘君子之器,盗思夺之矣。"意思是背负财物的小人去乘坐君子的马车,盗贼就想法子去抢夺。言外之意即才不称职就会招致祸患。

⑥《山堂考索》:一名《群书考索》,宋章如愚撰,是一部辑录政治制度、诸子思想、五行律历等各种材料的类书。

⑦大中祥符:宋真宗的第三个年号,始于1008年,止于1016年。

⑧上封:古代臣下上书言事,将奏章用皂囊封住呈进,以防泄漏,称之为"上封事"。

⑨引伏:即服罪。

⑩敕:汉时凡尊长或官长告诫子孙或僚属,都称为"敕",南北朝以后

专指皇帝诏书。

⑪《晋中兴书》：南朝宋何法盛所撰的纪传体史书，专记东晋一代史事。书亡佚已久，有后人辑本，唐朝苏鹗《同昌公主传》中有“为时诸家，好为叶子戏”，据说是目前所见最早关于叶子戏的文字记录，因此有说叶子戏发明于唐朝。

⑫陶士行：即陶侃。摴蒱为老子入胡所作：这是关于摴蒱戏起源的一种说法，已无可考证。

⑬安得：岂可。胥：全，都。

⑭穆宗：辽穆宗耶律璟(931—969)，中国历史上有名的昏君和暴君，设置多种毒刑残杀皇室奴隶，后被杀。

⑮叶格戏：古代的一种博戏，又称“叶子格戏”，

⑯《解》：即《辽史》卷一一六《国语解》。

⑰其年：即上文的“应历十九年”。

⑱为小哥等所杀：《辽史》卷七《穆宗本纪》载应历十九年二月己巳夜，近侍小哥、负责盥洗的花哥、厨师辛古等六人谋反，穆宗被杀。

⑲谑：尽兴地游乐。

⑳祸乃不旋踵：转身的功夫祸患就来到眼前。旋踵：旋转脚跟，即转过身来，形容时间极其短促。

㉑效尤：故意仿效他人的过错。咎：灾祸，祸害。

㉒繇(yóu)：同“由”。自，从。

㉓君子勤礼，小人尽力：语出《左传·成公十三年》。君子，指贵族，统治阶级。小人，指黎民百姓。勤，致力于。

【译文】

《唐书》说杨国忠因为擅长摴蒱得以召入内廷供职，主管摴蒱账

簿，计算勾画，能分毫不差。玄宗高兴地说："这个人有度支郎的才能呀！"玄宗任用杨国忠最终却使朝政败坏。玄宗末年，皇帝放荡不羁，使小人乘坐君子的马车，这也是国家的妖孽。今天的士大夫不崇拜姚崇、宋璟，而去学杨国忠，最终也必定会灭亡啊。

《山堂考索》中说："宋大中祥符五年(1012)三月丁酉日，有大臣上书说进士萧玄本名琉，曾经因赌博犯杖刑，如今改名赶考登第，宋真宗下诏命有关部门召萧玄诘问，萧玄服罪，夺去他的敕命，用四十斤铜钱赎罪，打发他走了。"宋代制度如此严格，而如今的进士却以不善于赌博而为耻辱。

《晋中兴书》记载："陶士行陶侃说摴蒱是老子入胡时所作，是外国游戏。近日士大夫多玩摴蒱，怎么不全天下都效仿外国呢？"

《辽史》记载："穆宗应历十九年(969)正月甲午，与群臣一起玩叶格。"《国语解》说："宋代钱僖公家有叶子揭格的游戏。"(按：应历十九年为宋太祖开宝二年，所以是契丹先有这种游戏，但不知来自何处。)而同年二月己巳日，穆宗就被近侍小哥等人所杀害。君臣作乐，祸患不会转身功夫跟就来到眼前。而赌博是不祥的东西，如今的士大夫整天玩着，能不跟着学坏吗？

《宋史·太宗纪》："淳化二年(991)闰月己丑，皇帝下诏：凡犯赌博罪的都将处斩。"《元史·世祖纪》："至元十二年(1275)，禁止民间赌博，犯赌博罪的流放到北地。"治理乱世用严酷的法律，固然应该如此。如今怎样才能达到太平盛世？曰：君子致力于礼制的建设和维护，百姓尽心尽力做好本分工作。

【题解】

《方音》选自《日知录》卷二十九。自古以来，我国四方语音就各有不同，而语言的多样性必定造成沟通的困难，古人十分重视语言的统一，于是出现了与“方音”相对的“雅音”。相对于雅音，方音多奇涩难懂，其中以楚地方音为甚，所以古人常用“楚音”指语言晦涩粗鄙。语言的粗鄙，代表的是志行丑拙，所以历来有许多因语音粗俗而被讥笑、被轻视的例子，即使是学问渊博的人，操一口乡音也免不了这种遭遇。顾炎武此文便是通过列举各类与方音有关的例子，探讨雅音的重要性。他认为即使交遍天下士子，而用一种方言，也是君子所不采取的。他甚至将雅音放在极为关键的位置，认为君子抱有通达天下有所作为的志向，大概必定以发音为出发点。

方　音

【原文】

五方①之语虽各不同，然使友天下之士，而操一乡之音，亦君子之所不取也。故仲由之喭，夫子病之；②鴃舌之人，孟子所斥。③而《宋书》谓高祖虽“累叶④江南，楚言⑤未变，雅道⑥风流无闻焉尔”。又谓长沙王道怜⑦“素无才能，言音甚楚，举止施为，多诸鄙拙”。《世说》言：“刘真长⑧见王丞相⑨，既出，人问见王公云何⑩，答曰：‘未见他异，惟闻作吴语耳。’”又言：“王大将军⑪年少时，旧有田舍⑫名，语音亦楚。”又言：“支道林入东⑬，见王子猷兄弟⑭，还，人问见诸王何如，答曰：‘见一群白项鸟⑮，但闻

唤哑哑声[16]。'"《北史》谓丹杨王刘昶[17]"呵骂僮仆,音杂夷夏。虽在公坐[18],诸王每侮弄之"。夫以创业之君,中兴之相,不免时人之议,而况于士大夫乎。北齐杨愔[19]称裴谳之[20]曰:"河东士族,京官不少,惟此家兄弟全无乡音。"其所贱可知矣。至于著书作文,尤忌俚俗。《公羊》多齐言,《淮南》多楚语,若《易传》《论语》何尝有一字哉!若乃[21]讲经授学,弥[22]重文言,是以孙详、蒋显曾习《周官》[23],而音乖楚夏[24],左思《魏都赋》:"盖音有楚夏,土风[25]之乖也。"**则学徒不至;**《梁书·儒林传》**李业兴[26]学问深博,而旧音不改,则为梁人所笑。**《北史·本传》**邺下人士[27]音辞鄙陋,风操蚩[28]拙,则颜之推不愿以为儿师[29]。**《家训》**是则惟君子为能通天下之志,盖必自其发言始也。**

《金史·国语解》序曰:"今文《尚书》[30]辞多奇涩,盖亦当世之方音也。"《荀子》每言"案"[31],《楚辞》每言"羌"[32],皆方音。刘勰《文心雕龙》[33]云:"张华[34]论韵,谓士衡多楚[35]……可谓衔灵均之声余[36],失黄钟之正响也[37]。"

【注释】

①五方:东、南、西、北及中央。

②仲由之喭(yàn),夫子病之:事见《论语·先进》,孔子认为"柴也愚,参也鲁,师也辟,由也喭",意思是高柴愚笨,曾参迟钝,颛孙师偏激,仲由鲁莽。喭,耿直,刚猛。病,不满意。

③鴃(jué)舌之人,孟子所斥:事见《孟子·滕文公上》,孟子认为"今也南蛮鴃舌之人,非先王之道",意思是南蛮地区语言艰涩难懂。鴃:伯劳。鴃舌,形容语言如伯劳一样艰涩难懂。

④累叶：累世，数代。叶，世、代。

⑤楚言：由于地方语音色彩较重，中原人士认为楚语鄙俗土气，因此多用“楚音”指语言粗俗。

⑥雅道：风雅的事。此处引文见《宋史》卷五二《褚叔度传》。

⑦道怜：南朝宋高祖刘裕的二弟，起初为国子学生，刘裕攻克京城，迁太尉，封长沙王。此处引文见《宋史》卷五一《宗室·长沙景王道怜传》。

⑧刘真长：刘惔(dàn)(约314—约349)，晋玄学家、诗人，永和名士之一，当时清谈的主力干将，祖父、父、兄都名于时。

⑨王丞相：王导(276年～339年)，字茂弘，历仕晋元帝、明帝、成帝三代，元帝时任丞相，东晋政权的奠基人之一，朝野称他为“仲父”。引文见《世说新语·排调》

⑩云何：怎么样。

⑪王大将军：即王敦。

⑫田舍：乡下人。引文见《世说新语·豪爽》。

⑬支道林：支遁(314—366)，字道林，东晋高僧，般若学六家七宗之一，“即色宗”的创始人。俗姓关，二十五岁出家为僧，与谢安、王羲之等交往颇多。入东：指前往东面的会稽。东晋的都城在建康，以会稽为东。

⑭王子猷兄弟：王羲之有王凝之、王徽之、王献之等七子，王子猷即王徽之。

⑮白项鸟：喻指王子猷兄弟，相传王氏子弟经常穿白色领子的衣服。

⑯唤哑哑声：王导本是北方人，但是喜欢说吴语，王氏子弟纷纷效仿，支道林借此嘲讽王氏子弟满口吴语。

⑰刘昶(chǎng)(436—497)：字休道，南朝宋文帝的儿子，封义阳王，

官居徐州刺史，投降北魏后，娶武邑公主为妻，封丹阳王。

⑱公坐：指公共场合。此处引文见《北史》卷二九《刘昶传》。

⑲杨愔(511—560)：字遵彦，任北齐尚书令，封开封王，后被齐孝昭帝所杀。

⑳裴谳(yàn)之：字士平，生卒年不详，南北朝时期任齐国司徒主簿、永昌太守，齐亡后任后周伊川太守。

㉑若乃：至于，转折连接词。

㉒弥：更加，越发。

㉓是以孙详、蒋显曾习《周官》：孙详、蒋显为北方学者，讲习时用北方方言，不同于楚夏语音，所以学生不愿意去。事见《梁书》卷四八《儒林传·沈峻传》。

㉔音乖楚夏：指语音与楚音、夏音有区别。夏音指雅音，指中原正声；楚音即与夏音相对的土语方言。乖，不同、有差异。

㉕土风：地方风俗。

㉖李业兴(484—549)：南北朝时北魏天文历算学家，自幼勤奋好学，博涉百家，精通天文、星占。

㉗邺(yè)下人士：东汉末年，曹操攻破邺城，以此为大本营招贤揽士，各地文人汇集，吟咏诗文，伤怀悯时，形成了一个彬彬之盛的文人集团。

㉘蚩(chī)：同“媸”，丑陋。

㉙颜之推不愿以为儿师：颜之推认为邺下才子除了邢子才，其余都是言语鄙陋、举止粗俗、没有节操、固执武断，没有一点本事的人，问他们一句话，动辄回答数百句，但词不达意，不得要领，所以他不愿意邺下士人担任子孙的老师。事见《颜氏家训》卷三《勉学》。

㉚今文《尚书》：《尚书》有古文、今文的区别，汉初伏生传《尚书》二十

八篇，用汉代通行的隶书抄写，后人称之为今文《尚书》。

㉛《荀子》每言“案”：《荀子》一书中“案”字多次出现，为语助词，无实义。每，常常，经常。

㉜《楚辞》每言“羌”：《楚辞》中多用“羌”，亦是语助词，没有实义。

㉝刘勰（约465—532）：字彦和，南朝齐梁时代的文学理论批评家，研读佛理的同时，研究文学，并撰写文学批评巨著《文心雕龙》，刘勰入梁曾兼任东宫通事舍人，入齐深受昭明太子萧统重视。

㉞张华（232—300）：字茂先，西晋著名文学家、政治家，学问优博，为人火大，时人将他比作春秋战国时期子产，后封广武侯。

㉟士衡：陆机（261—303），字士衡，西晋著名文学家、文学理论家。陆机有异才，以文章冠称于世，太康年间，与弟弟陆云同入洛阳，被张华赏识。多楚：指陆机的文章中多有楚地方言音韵。

㊱衔：含，指集成。灵均：屈原的字。声余：指《楚辞》的余声。

㊲黄钟：十二律之一，这里泛指乐律。正响：此处指以《诗经》为代表的雅正之音。

【译文】

各方的语音虽然各有不同，然而假使与天下士人为友，而只使用某一乡的语音，君子是不会这样做的。所以仲由的鲁莽，夫子不满意；语言难懂的人，被孟子排斥。而《宋书》说高祖虽然“历代都在江南，但没有改变楚语的鄙俗，说到儒雅风流之事，没听到有什么传闻”。又说长沙王道怜“素来没有才能，言语粗俗，举止作为，大多鄙野拙劣。”《世说新语》说：“刘真长去见王丞相，出来以后，有人问他王丞相怎么样，他说：‘没有什么特别的地方，只是听到他说吴地方言罢了。’”又说：“王大将军年少时，就有乡巴佬这个外号，语音也粗鄙。”

又说："支道林到会稽去，见到了王子猷兄弟，回来后，有人问他王家兄弟怎么样。他回答说：'我只看见了一群白颈乌鸦，只听见他们哑哑地叫。'"《北史》载丹杨王刘昶"斥骂家童仆人，叫骂声夹杂夷狄的语言。即使是在公共场合，其他王爷也经常轻慢戏弄他"。即便是开创基业的君主、振兴国家的宰相，都免不了被人们议论，更不用说士大夫了。北齐杨愔称赞裴谳之时说："河东士族中，有不少在京城做官，唯有此家兄弟，全然没有乡音。"由此便可知道人们所轻视的是什么。至于著书作文，尤其忌讳俚俗掺杂。《公羊传》多用齐国语，《淮南子》多用楚地语言，而《易传》《论语》之类何尝有一字是方言！至于讲经授学，越发重视文言，所以孙详、蒋显曾讲习《周官》，言辞粗鄙笨拙，（左思《魏都赋》："大概语音有楚音夏音的区别，这是地方风俗不同的缘故。"）没有学徒慕名而来；（事见《梁书·儒林传》。）李业兴学问深博，但乡音不改，被梁人嘲笑。（事见《北史·李业兴传》。）邺下人士发音用词鄙陋，志行品德丑拙，所以颜之推不愿聘用他们当儿子的老师。（见《颜氏家训》。）因此，君子抱有通达天下有所作为的志向，必定以发音雅正为出发点。

《金史·国语解》序说："今文《尚书》文辞多奇特晦涩，大概也是当时的方言土语。"《荀子》经常说"案"，《楚辞》经常说"羌"，都是方言。刘勰《文心雕龙》说："张华论韵，说陆机多有楚音……可以说是继承了屈原的余声，失去了雅正的声音。"